An Italian course for English speakers

Linda Toffolo
Nadia Nuti
Renate Merklinghaus

That's Allegro

Student's textbook and workbook

EDILINGUA

www.edilingua.it

© Copyright edizioni Edilingua
Via Paolo Emilio, 28 00192 Roma

Via Moroianni, 65 12133 Atene
Tel. +30 210 57.33.900
Fax: +30 210 57.58.903
www.edilingua.it
info@edilingua.it

I edizione: dicembre 2006
ISBN: 978-960-6632-64-8

Edizione inglese a cura della prof.ssa Antonella Albano, Gulf Coast High School Naples, Florida
Hanno collaborato:
Antonio Bidetti, Laura Piccolo, Miranda Alberti, Giuliana G. B. Attolini, Silvia Bentivoglio, Rosa
Pipitone, Antonella Sartori
Impaginazione: S. Scurlis (Edilingua)
Illustrazioni: A. Boncompagni, Arezzo - S. Scurlis (Edilingua)

Dear students,

With this course you begin a fascinating journey into the Italian language, civilization and culture.

As you will notice, your textbook includes a section entirely devoted to exercises so that you can have, as we say in Italy, "tutto a portata di mano" - everything at hand - for both your classwork and homework.

That's Allegro 1 - the textbook contains:

- 12 units;
- of which 4 are review units (3, 6, 9 and 12), based on games, suggestions for effective language learning, and information about Italy and Italians. They give an insight into Italy, its places, its cities, its people and their everyday life;
- an integrated workbook with exercises to be completed preferably at home;
- at the end of each unit you will find a grammar synopsis and a brief, but very useful table summarizing the communicative objectives within the lesson.

At the end of the book there is:

- an easy-to-consult grammar overview that supplements the grammar tables at the end of each unit;
- a glossary organized by units.

Besides the introductory and regular dialogues and the exercises, *That's Allegro 1* also contains listening and reading texts taken from every day Italian life, which will bring you closer to the Italian language, the culture and its people.

And now, enjoy the course and... have fun!

Below are some expressions you may find useful throughout the course:

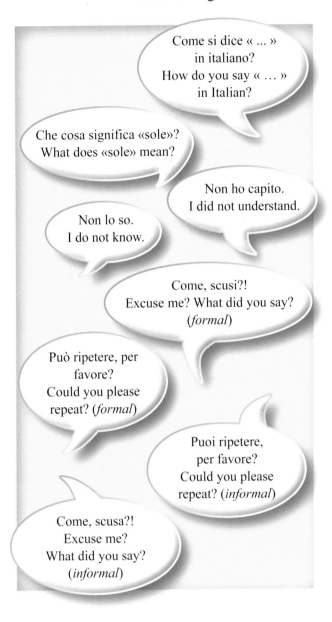

Contents

Come va?

Guardate e ascoltate.
Listen while looking at the photograph.

 What do these people say to greet each other?

That's Allegro

A Buongiorno!

1 Ascoltate.

Listen to the dialogues. In which dialogue are people addressing each other with the "tu" or the "Lei" forms?

- Ciao, Chiara!
- Ciao, Gianni, come stai?
- Io sto bene, e tu?
- Abbastanza bene.

- Buongiorno, signora!
- Buongiorno, signor Cervi. Come sta?
- Non c'è male, grazie. E Lei?
- Bene, bene.

Look again at the photograph on page 8. Which people are using the "tu" form and which are using the "Lei" form?

2 Completate.
Complete the missing verb forms.

stare	
io	sto
tu	stai
lui lei Lei	sta

Come stai? Come sta?

- Benissimo.
- Non c'è male.
- Bene.
- Così così.
- Abbastanza bene.
- Insomma...

3 Lavorate in gruppi.
Form small groups and take turns greeting your classmates and asking them how they are doing. You choose whether to use the "tu" or the "Lei" form.

4 Completate.
Complete the mini dialogues.

Buonasera!

Buonasera Carla!

Buonasera Luigi!
Come va?

Bene, e tu?

Buonasera signora!
Come va?

Bene, grazie.
E lei?

Exe. 1–2
pg. 104

B Piacere!

1  **Ascoltate.**
Listen to the dialogue.

- Tu sei Piero Rivelli, vero?
○ Sì, sono io. E tu sei...?
- Io sono Margherita Moroni.
  E questa è Anna De Rosa,
  un'altra collega.
○ Piacere.
△ Piacere.

Italians say "piacere".
What do you say in your language?

2 **Completate.**
Insert the missing verb forms.

essere	
io	*sono*
tu	*sei*
lui	
lei	*è*
Lei	

Io sono Margherita.

Questo è Piero.

Questa è Anna De Rosa.

3 **In classe**
Meet your classmate. Then, introduce him/her to the other people
in your class.

4 **Formate delle frasi.**
Form three sentences with these words.

sono　sei　Maria　Giovanni　Rodari　è

tu　io　questo　Antonio　vero

?

Io sono Maria
Questo è vero
Tu sei Antonia

Exe. 3
pg. 105

That's Allegro

C Le presento il signor Rivelli.

1 🎧 **Ascoltate.**
Listen to the dialogue.

- Buongiorno, ingegnere!
- ○ Buongiorno, signora Moroni.
- Ingegnere, Le presento il signor Rivelli. Piero, l'ingegner Gambini.
- △ Piacere.
- ○ Molto lieto.

2 **Completate.**
Complete the sentences with the definite article.

Le presento	...*il* signor Rivelli. la signora De Rosa. ...*L'* ingegner Gambini.	Piacere.

When do we use the definite article in front of *signora / signor* and professional titles? When don't we?

3 **Guardate e completate.**
Fill in the following business cards and complete the mini dialogues.

Francesca Capano
Architetto
Salita Due Porte alla Salute, 12
Napoli Tel. 549 28 29

DOTT.SSA LUISA LUBRANO
Ass. L.U.I.M.O. – Via Luca Giordano, 8 – Napoli
Tel. 081/7615727

Ing. Raffaele Verde
Napoli · Viale Gramsci, 51
Tel. (081) 37 24 95

Rosaria Accarino
Largo Sermoneta, 7   Tel. 7 37 55 12
Napoli

STUDIO LEGALE
Avv. Vincenzo Vitiello
Napoli – Riviera di Chiia, 53
Tel. 66 75 59

Antonio Fabbrocini
Via Tasso 12 - 80123 Napoli
Tel. 081/ 5751241 (fax)

1. ● Ingegnere, Le presento *l'* architetto Capano.
   Francesca, *l'* ingegner Verde.
   ○ Molto lieto.

2. ● È Lei *il* signor Fabbrocini?
   △ Sì, sono io.
   ● Piacere. Sono *l'* avvocato Vitiello.

3. ● Buongiorno, sono *la* dottoressa Lubrano.
   ○ Piacere. Rosaria Accarino.

Now, work in pairs: read the dialogues together.

Come va?

4 **Lavorate in gruppi.**

Create small groups. Introduce somebody else in your group to your partner. You can choose whether to use the informal "tu" or the formal "Lei" to address them.

ESEMPIO
- Signora Verdi, Le presento il signor Seriani.
- Anna, questo è Andrea.

5 **Prendete appunti.**

Work in pairs: write the sentences and the expressions you have learned so far.

Salutare	Chiedere a una persona come sta
BuonGiorno	Come sta.
Ciao	
Bonasera.	

Presentare se stessi o altri	Dire come si sta
Io sono Iliana	Io sta bene Gracie
lei è Signor Baldaci?	

6 **Fate conversazione.**

You are at a party. Greet friends and acquaintances and ask them how they are doing. Introduce yourself and the person you are with, to other guests.

Exe. 4–8
pg. 105–106

D Dove abiti?

1 Ascoltate.

Listen to the dialogue and write down the cities mentioned.

- Ma tu, Margherita, dove abiti?
- ○ Abito qui a Perugia, ma sono di Terni.
  E tu di dove sei?
- Io sono di Genova, ma adesso abito
  a Firenze.
- ○ Ah! Anche l'ingegner Gambini abita
  a Firenze.
- Davvero? Però non è di Firenze...
- ○ No, no. È di Lugano.

2 Leggete e completate.

Read the dialogue and answer the questions.

Di dov'è Margherita?
È di _Terni_,
ma abita a _Perugia_

E Piero?
È di _Genova_,
ma abita a _Firenze_.

E l'ingegner Gambini?
È di _Lugano_.
ma abita a _Firenze_

3 Completate.

Fill in the missing verb forms.

abitare	
io	_Abito_
tu	_abita_
lui lei Lei	_abita_

Dove abiti? Lei dove abita?
Abito a Firenze. _Lugano_

Di dove sei? Lei di dov'è?
Sono di Genova. _abito Firenze._

4 Ascoltate.

Listen and tick (✓) only the Italian cities and regions that are mentioned.
What are they called in your language?

- ✓ Venezia
- Milano
- Torino
- ✓ Perugia
- ✓ Bologna
- ✓ Roma
- Veneto
- Palermo
- ✓ Firenze
- ✓ Napoli
- ✓ Sicilia
- ✓ Calabria
- ✓ Lazio
- ✓ Toscana
- ✓ Lombardia
- Umbria
- Liguria
- ✓ Sardegna

5 Fate conversazione.

In small groups, take turns asking a classmate where he/she is from
and where he/she lives.

Exe. 9–10
pg. 107

Come va?

1

E Sono olandese.

1 Leggete.

Read the messages of these young people discussing in the chatroom *Amici.net*. Can you form couples?

AMICI.NET

Amici

>Ciao a tutti! Sono Greet, sono olandese, di Rotterdam. Cerco ragazzo italiano per un'amicizia on line.<

>Sono David, sono inglese, di Liverpool. Studio in Italia e cerco amici on line.<

>Sono Mauro, abito in Svizzera ma sono italiano al 100%!<

>Salve, sono Laura! Abito a Milano ma sono tedesca. Chattiamo?<

2 Completate.

Complete with the nationalities of these young people.

Di dov'è	Mauro?	È *Italian* .
	David?	È *Inglese* .
	Laura?	È *tedisca* .
	Greet?	È *Olandse* .

What are the endings (the last letter) of the adjectives indicating the nationality in the masculine form? And in the feminine form? Which ending applies to both?

3 Fate delle ipotesi.

These are some of the people we met in the chatroom. In pairs, speculate on their nationality based on the example.

francese

svizzero/a

austriaco/a

spagnolo/a

ESEMPIO
● Secondo te, Piet di dov'è?
○ Secondo me, è olandese.

 Isabel   Andrea    Janine    Piet    John   Maria

Italiana.   *French*   *Americano.*   *Italiana*

4 Fate i dialoghi.

In pairs, form some short dialogues with the words provided below based on the example.

1. Fabio ◆ Svizzera ◆ Lugano.
2. Greet ◆ Olanda ◆ Rotterdam.
3. Laura ◆ Italia ◆ Milano.
4. Janine ◆ Francia ◆ Parigi.
5. Peter ◆ Germania ◆ Stoccarda.
6. Maria ◆ Austria ◆ Vienna.

ESEMPIO
● Mauro abita in Svizzera.
○ Dove?
● A Lugano.

● Mauro è svizzero.
○ Di dove?
● Di Lugano.

5 Raccontate.

Do you know a famous person that does not live in his/her country?
Say where he/she is from and where he/she lives today.

6 Completate.

Fill out the registration form in order to participate, like Maurizio, in the chatroom *Amici.net*.

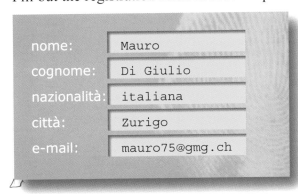

nome:	Mauro
cognome:	Di Giulio
nazionalità:	italiana
città:	Zurigo
e-mail:	mauro75@gmg.ch

nome:	ILIANA
cognome:	HEDEAN
nazionalità:	Francese
città:	Plasanton
e-mail:	Calofilo34@AOL.Com

Exe. 11–17
pg. 107–109

7 Scrivete.

Also write a brief message of introduction for the chatroom *Amici.net*.

F Come si pronuncia?

1 Ascoltate e ripetete.

Listen and repeat the following words.

centro	giubileo	ciabatta	ghirlanda	acciuga	come	galleria
Calabria	laguna	pacchetto	geniale	adagio	Giro d'Italia	parmigiano
prego	arrivederci	traghetto	Chianti	cura	Riccione	

2 Completate.

Insert the words above in the correct column, based on their pronunciation.

[tʃ] come *vicino*	[k] come *banco*	[dʒ] come *Genova*	[g] come *dialogo*
....	....	....	....
....	....	....	....
....	....	....	....
....	....	....	....
....	....	....	....

3 Leggete.

In pairs, read the words. Do you know other Italian words you can insert in these four groups?

Exe. 18–19
pg. 109

Ricapitoliamo!

Work in groups of three. Create a dialogue where three colleagues meet: include greetings, introductions, places of origins, etc.

Si dice così

Greet someone		Introduce yourself or someone else	
Buongiorno!		Sono Mario.	
Buonasera!		Questo è Marco.	
Salve.		Questa è Maria.	Piacere.
Ciao!		il signor Rivelli.	
Arrivederci.		Le presento la signora Moroni.	
		l'ingegner Perini.	

Ask someone how he/she is doing

Come stai?	Benissimo, grazie.
Come sta?	Bene.
Come va?	Abbastanza bene.
	Non c'è male.
	Così così.
	Insomma...

Ask someone's nationality and origin

Di dove sei?	Sono	di Perugia.
Lei di dov'è?		italiano.

Ask where someone lives

Dove abiti?	Abito	a Milano.
Lei dove abita?		in Italia.

Grammatica

1. Verbi: forme al singolare → 1, 18, 19, 31

notes

	essere	stare	abitare
io	sono	sto	abito
tu	sei	stai	abiti
lui, lei, Lei	è	sta	abita

2. Pronomi personali: forme al singolare → 15

1ª persona:	io
2ª persona:	tu
3ª persona:	lui, lei, Lei

3. Articolo determinativo: forme al singolare → 5

maschile	femminile
il signore	la signora
l'ingegnere	l'amicizia
lo studente	
lo zoo	

4. Articolo determinativo: uso → 6

Le presento **il** signor Rivelli.
la dottoressa De Rosa.

But: Buongiorno, signor Rivelli!
Buonasera, dottoressa!

5. Aggettivi che esprimono la nazionalità → 11

maschile	femminile
tedesco	tedesca
austriaco	austriaca
svizzero	svizzera
olandese	
inglese	

6. Preposizioni: a, in → 27

a Roma   **in** Italia

Guardate la carta geografica.
Work in pairs: observe the map of Italy.
Which cities do you know?

Bolzano

Trento

Aosta

Milano

Trieste

Verona

Venezia

Torino

Pavia

Genova

Bologna

Imperia

Firenze

Senigallia

Ancona

Perugia

Pescara

L'Aquila

Roma

Campobasso

Napoli

Potenza

Lecce

SARDEGNA

Cagliari

Catanzaro

Reggio Calabria

Palermo

SICILIA

Do you know any other
Italian cities?

A In treno

1 🎧 Ascoltate.

Listen to the conversation: can you understand between which cities the train is?

△ = signora Kreisler   ○ = signor Kreisler

● = signora Magoni

△ Scusi, siamo già a Pavia?
● No, Pavia è la prossima.
△ Ah, grazie.
● Non siete italiani, vero?
○ No, siamo tedeschi, di Francoforte.
● E adesso tornate in Germania?
○ No, no, noi abitiamo a Milano.
● Ah, abitate a Milano anche voi...
   Perciò parlate così bene l'italiano!

2 Completate.

Fill in the missing verb forms.

	essere	abitare
io	sono	abito
tu	sei	abiti
lui, lei, Lei	è	abita
noi	*siamo*	*abitiamo*
voi	....	....
loro	sono	abitano

Non	abitiamo / torniamo	in Germania.

3 Mettete una crocetta.

Tick (✓) the right sentences.

Compare your answers with your partner's.
Read the right answers
and make some sentences.

La signora Magoni

☐ abita in Germania.

☑ è italiana.

Il signore e la signora Kreisler

☑ abitano a Milano.

☐ tornano in Germania.

☐ sono italiani.

☑ sono di Francoforte.

☐ abitano a Pavia.

☑ parlano bene l'italiano.

4 🎧 Ascoltate e osservate la cartina dell'Italia.

Now listen to another conversation on the train:
try to understand where the train is.

5 🎧 Ascoltate.

Listen to the dialogue a second time and say why Rita and Manuela are travelling.

△ = controllore   ● = Rita   ○ = Manuela

△ Biglietti, prego...
● Scusi, per Senigallia devo cambiare?
△ No, con questo treno no.

○ Vai a Senigallia?
● Sì, anche tu?
○ No, io vado a Bologna... a trovare un amico. E tu, come mai vai a Senigallia?
● Eh, per lavoro. Beh, veramente studio ancora, ma quest'estate lavoro in un albergo.

6 Completate.

Fill in the missing verb forms.

andare	
io	....
tu	....
lui, lei, Lei	va
noi	andiamo
voi	andate
loro	vanno

Come mai vai a Senigallia / a Bologna?		
Vado a	Senigallia Bologna	per lavoro.
		a passare le vacanze.
		per visitare la città.
		per imparare l'italiano.
		a trovare un amico.

7 Raccontate.

Work in small groups. Say something about the passengers on the train, from the dialogue. Use the examples and the information provided below.

 a Milano
in Germania

 in Germania
a Bologna
a trovare un amico

 in un albergo
a Senigallia

 di Francoforte
in treno

ESEMPIO   Il signore e la signora Kreisler abitano a Milano.
La signora Magoni...
Rita...

8 Lavorate in coppia.

Write three sentences about yourself on a piece of paper. Then, one of you collects all the papers up and randomly passes them back to the class. Now that you have a paper in your hands that isn't yours, try to understand whose paper it is by asking some questions.

That's Allegro

9 **Scrivete e domandate.**
Look at the map of Italy on page 18 and choose a place
for your trip. Then, explain to your partner where you
are going and why.

Exe. 1–7
pg. 110–111

Lettura

Leggete.
Read the following information about Senigallia and underline
every word you understand.

SENIGALLIA

Dov'è

Senigallia è nelle Marche, una
regione dell'Italia Centrale,
sul mare Adriatico. Si trova tra le
città di Pesaro a nord ed Ancona a
sud. A ovest, verso
le montagne, ci sono le città di
Urbino e di Gubbio.

Che cosa offre

Senigallia è un luogo ideale per le
vacanze. Ha circa
10 km di spiaggia e un
centro storico importante
e ben conservato.

Come arrivarci

Giungere a Senigallia è facile.
Possiamo arrivarci dall'autostrada,
dalla stazione, dal porto
e dall'aeroporto di Ancona Falconara.

2 **Lavorate in coppia.**
Now with a partner, try to understand more words.

3 Vero o falso?
Indicate with a tick (✓) if these sentences are true (V) or false (F).

	V	F
Senigallia è una regione italiana.	✓	
Urbino e Gubbio sono sul mare.		✓
La spiaggia di Senigallia è lunga.	✓	

4 Cercate le parole.
Read again on page 21, the third paragraph of the tourist brochure about Senigallia and find the words that match these symbols.

 ....

B Vorrei prenotare una camera.

1 Abbinate.
Match the highlighted words with the symbols.

Senigallia

Hotel Ritz

★★★★

Hotel Ritz

Lungomare Dante
Alighieri 142
60019 Senigallia

PER LA VOSTRA VACANZA

- 150 camere con vista sul mare, servizi privati e aria condizionata
- Parcheggio
- Ristorante
- Piscina
- Giardino
- Spiaggia privata
- Campo da tennis
- Ascensore e servizio in camera

PER I VOSTRI AFFARI

- Sala congressi

2 🎧 **Ascoltate.**
Listen to the telephone conversation.

- Hotel Ritz, buongiorno!
- ○ Buongiorno, vorrei prenotare una camera per questo fine settimana.
- Sì, ...una singola o una doppia?
- ○ Una doppia.
- Va bene, e a che nome?
- ○ Russo.
- Russo... sì. E quando arrivate?
- ○ Venerdì sera. A proposito, c'è il parcheggio?
- Sì, signora.
- ○ Ah, perfetto! Solo una domanda ancora, c'è l'aria condizionata in camera?
- Certo.
- ○ Bene, allora grazie e arrivederci.
- Arrivederci!

Hotel Ritz
Lungomare Dante
Alighieri 142
60019 Senigallia

Camera e colazione	
Camera doppia	120 Euro
Camera singola	80 Euro
Mezza pensione	
Supplemento	
per persona	20 Euro

3 **Inserite la prenotazione.**
Write Mrs. Russo's reservation on the planner.

lunedì	martedì	mercoledì	giovedì	venerdì	sabato	domenica
				Mrs Russo.		

4 **Mettete una crocetta.**
Tick (✓) which information Mrs. Russo asks for, during her phone call to the hotel.

☐ piscina   *il* parcheggio   ☐ camera doppia

☐ camera singola   ☐ ascensore   *l'* aria condizionata

5 **Completate.**
What is missing? Complete.

∴ ...*il* parcheggio?	Sì, signora.
C'è ...*l'* aria condizionata?	Certo.
...*la* piscina?	No, non c'è.

6 **Lavorate in coppia.**
Look at the brochure on page 22 one more time, then close your book and with questions and answers, talk about the services that the Ritz Hotel offers.

7 Prendete appunti.

Work in pairs: write the expressions that we have learned so far.

Prenotare una camera	Chiedere informazioni su un albergo
....	....
....	....
....	....

8 Fate la prenotazione.

Work in pairs. Student *A* is the receptionist at the hotel; student *B* is the customer calling the Ritz Hotel to book a room and to ask for information about the services that the hotel offers.

Exe. 8–14
pg. 112–114

C Mi chiamo Price.

1 Ascoltate.

Listen to the dialogue.

- Buonasera!
- Buonasera. Avete una prenotazione per stasera al nome di Price?
- Come, scusi?
- Price. Pi - erre - i - ci - e. È una camera singola...
- Ah, sì... Price. Ecco la chiave.
- Ah, grazie.

2 Ascoltate e ripetete.

Listen to the letters of the alphabet and repeat.

A	B	C	D	E	F	G	H	I	J	K	L	M
a	bi	ci	di	e	effe	gi	acca	i	i lunga	cappa	elle	emme

N	O	P	Q	R	S	T	U	V	W	X	Y	Z
enne	o	pi	qu	erre	esse	ti	u	vi/vu	vu doppia	ics	ipsilon	zeta

3 Fate il dialogo.

Work in pairs. Create a dialogue at the hotel's reception and use your name.

4 **Lavorate in coppia.**
Work in pairs: one says a word and the other does the spelling.

ESEMPIO   ● Vi – a – ci – a – enne – zeta – e .
        ○ Vacanze.

5 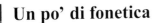 **Ascoltate e scrivete.**
Listen to the spelling of some words and write them down. Then, compare them with the ones
your partner wrote. Double check your answers by listening to the words one more time.

Exe. 15–16
pg. 115

D **Un po' di fonetica**

1 **Ascoltate e ripetete.**
Listen very carefully
to the words and
then repeat.

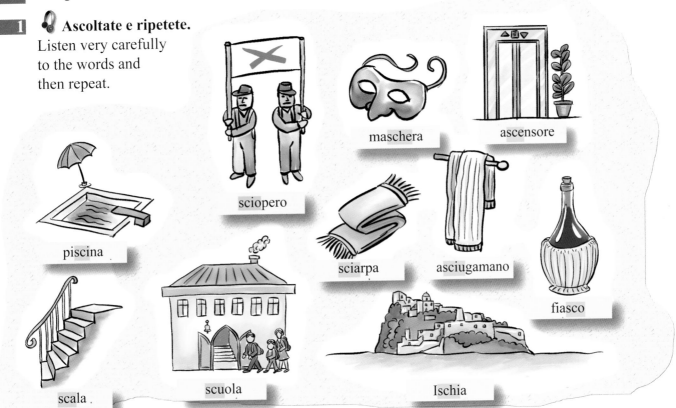

piscina

sciopero

maschera

ascensore

sciarpa

asciugamano

fiasco

scala

scuola

Ischia

2 **Completate.**
Now, based on their pronunciation, write the words of exercise 1 in the correct column.

[ʃa] (sciampagna)	[ʃe] (scendere)	[ʃi] (uscire)	[ʃo] (sciocco)	[ʃu] (asciugare)

[ska] (scandalo)	[ske] (schema)	[ski] (maschile)	[sko] (scopo)	[sku] (scusa)

Exe. 17
pg. 115

Do you know other words to insert in each group?

Ricapitoliamo!

Work in pairs. During a guided visit around Pistoia, Tuscany, you meet a tourist from another group and you start talking to each other. Each one says where he/she is from, why he/she is in Pistoia and which hotel he/she is staying at. Before leaving, introduce yourself with your name.

A proposito, io mi chiamo...

Si dice così

Start a conversation

Scusi, siamo già a Pavia?
A proposito, c'è il parcheggio?

Express a reason

Vado a Senigallia	a trovare un amico.
	per visitare la città.
	per lavoro.

Tell your name

Mi chiamo Carlo Serpotta.

Ask to repeat

Come, scusi?

Ask if there is something

C'è la piscina?

Confirm something

Sì, signora.
Certo.

Make a wish

Vorrei una camera.

That's Allegro

Grammatica

1. Verbo *essere*, *andare* e verbi in *-are*: forme al singolare e al plurale → 18, 19, 31

	essere	abitare	andare
io	sono	abito	vado
tu	sei	abiti	vai
lui, lei, Lei	è	abita	va
noi	siamo	abitiamo	andiamo
voi	siete	abitate	andate
loro	sono	abitano	vanno

2. La negazione semplice con *no* e *non* → 25

No, io vado a Pescara.
Non andiamo in Italia.

3. Articolo determinativo: uso → 6

All'albergo Ritz c'è **la** piscina.
Il signor Lewis parla bene **l'**italiano.

4. Sostantivi: desinenze al singolare → 2

maschile	femminile
il parcheggio	la piscina
il ristorante	la stazione
il tennis/il bar	l'e-mail

5. Gli interrogativi *dove?* e *di dove?* → 17

Dove abiti?
Dove vai?
Di dove sei?

6. Preposizioni: *a*, *in* → 27

Abito **a** Roma.
Vado **a** Roma.

Abito **in** Italia.
Vado **in** Italia.

notes

Dear students, in these review units you will find some useful advice as to how to improve your study skills while learning the Italian language.

A Impariamo i vocaboli!

In order to remember and better learn important words and expressions that you encounter in each unit, you can:

1 Archivio mobile

create your own mobile archive, i.e. a note-book where you write useful words and expressions. For example, if you think about driving to Italy and if you enjoy playing tennis, write in your notebook sentences like these:

> *Le mie frasi*
>
> *Vado a Venezia a trovare un amico.*
> *Vorrei una camera singola.*
> *C'è il parcheggio?*
> *C'è il campo da tennis?*
>
> ....

2 Schede

write down words and phrases on index cards, organized by topics or situations, as in the example on the right side. Behind each index card, you can write the translation in your own language;

> **In albergo**
>
> camera doppia
> colazione
> aria condizionata
> prenotare
> ....

> **Prenotare**
>
> *Vorrei una camera con bagno per il fine setti-mana.*
> *C'è la piscina?*
> ....

3 Parole associate

write down, as in the example on the right side, words related to a specific topic.

4 E ora provate voi!

Now, with your teacher's help, practice these three suggestions and work on unit 1 vocabulary.

B Leggere in italiano? Certo!

1 Che testo è questo?

A big help for the comprehension of a text, is to try to understand, from the graphics or the title, what kind of text we are dealing with. This way, you can understand what kind of information a text contains before even reading it. Take, for example, your first reading on page 21, the brochure about Senigallia. The big captions, the beautiful photographs: how much information can you understand before even reading the text? Now, work in pairs: observe the texts above and say what they are and what kind of information you are able to understand.

2 Che cosa significa?

When you read a text in a foreign language, the more words you know, the easier it is to understand it. But there are always some unknown words. Here are some ways to understand the meaning of an unknown word.

I understand unknown words:

☐ because they look like some words in my own language
☐ because they look like some foreign words I already know
☐ from the context
☐ from the visual material
☐ other: ....

Read the text about Senigallia on page 21 one more time and mark with an X which of these ways can be helpful to understand some unknown words in the text.

3 E ora buona lettura!

Now read the text on the right side and practice all the suggestions provided in this review unit.

HOTEL BAIA DEL CAPITANO ☆☆☆

➤ **Mazzaforno/Cefalù (Pa)**
Piccolo hotel in stile mediterraneo, situato in una tranquilla zona di campagna a pochi minuti dal mare e a 5 km dal centro storico di Cefalù. Gestione familiare. Dalla terrazza panoramica meravigliosa vista sul Golfo di Cefalù. 39 camere con bagno, telefono, TV, aria condizionata. Ristorante con menu alla carta. Giardino, piscina, spiaggia riservata attrezzata (sdraio e ombrelloni gratuiti), parcheggio. Autobus di linea per il centro.

C Il giro delle Marche

1 Rispondete in italiano!

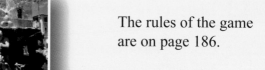

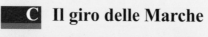

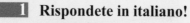

The rules of the game are on page 186.

① In quale città sei?

② Sei da due giorni a **Senigallia**. Com'è l'albergo?

③ La città di **Ancona** ha gravi problemi di parcheggio. Telefona in albergo per chiedere se c'è un parcheggio per i clienti.

④ Vai a **Jesi**, una città medievale. Nel pullman un signore del gruppo ti chiede: "Come mai va a Jesi?". Rispondi.

⑤ A **Macerata** vai all'arena Sferisterio per vedere un'opera lirica all'aperto. Perdi un giro.

⑥ A **Loreto** vai a visitare il famoso Santuario della S. Casa. Incontri un'altra turista che ti chiede: "Lei, di dov'è?". Rispondi.

⑦ A **San Benedetto del Tronto**, vai in un albergo e prendi una camera con vista sul mare. Fai lo spelling del nome della tua città e del tuo nome e cognome.

⑧ In Piazza del Popolo ad **Ascoli Piceno** in un caffè incontri una studentessa italiana. Dai il tuo indirizzo e il tuo numero di telefono.

⑨ Durante la camminata sui **Monti Sibillini** incontri una persona che vuoi conoscere meglio. Cosa dici?

⑩ A **Fabriano**, famosa in tutto il mondo per la produzione della carta, incontri un amico che ti dice: "Ciao, come va?". Rispondi.

⑪ Visiti le bellissime Grotte di **Frasassi**. Alla fine dell'escursione saluti e ringrazi la guida.

⑫ Sei nell'abbazia di **Fonte Avellana**. Ricordi tre frasi in italiano particolarmente utili durante il viaggio.

⑬ Nella città d'arte di **Urbino** c'è molto da vedere. Prenoti una camera in albergo a mezza pensione per il fine settimana. Perdi un giro.

⑭ Sei di nuovo a **Pesaro**, il punto di partenza. Inizi un nuovo viaggio. Dove vai e perché?

Primi contatti

● Gli italiani sono persone aperte, molto cordiali e spesso per salutarsi si abbracciano o si baciano sulla guancia. Ma cosa dicono per salutarsi?

Ciao! è un saluto amichevole e confidenziale quando incontri o lasci qualcuno.

Buongiorno! è il saluto che gli italiani usano al mattino e durante la giornata.

Buonasera! è il saluto per quando arriva la sera.

Buona giornata! o *Buona serata!* gli italiani li usano come augurio.

● Se in Italia incontri qualcuno puoi usare il *tu*, il *Lei* o il *voi*.

Gli italiani usano il *tu* tra amici, in famiglia, tra persone giovani, tra conoscenti e spesso tra colleghi. Infatti, spesso dicono "*Diamoci del tu!*". Molte volte questo dipende dalla situazione.

Usano il *voi* quando parlano a più persone.

● Come titolo di rispetto, gli italiani usano molto spesso *signora / signore* prima del nome o del cognome.

Altri titoli professionali in italiano sono:

Dottore / Dottoressa, per chi è laureato all'università.

Professore / Professoressa, per chi insegna nelle scuole o all'università.

Nel caso del maschile, la desinenza *-re* perde la vocale ("Buongiorno, *signor / professor / dottor* Pisaro").

Biglietti, prego!

● In Italia è possibile comprare il biglietto del treno alla biglietteria della stazione, all'agenzia di viaggi, alla biglietteria automatica.

● Prima di salire sul treno, per evitare la *multa*, devi *convalidare* il tuo biglietto ad uno dei tanti apparecchi, di color giallo o arancione, che trovi sui binari di ogni stazione ferroviaria.

Alloggio

● Se vuoi passare qualche giorno di vacanza in Italia e non sai ancora dove alloggiare, puoi scegliere tra: un *albergo*, una *pensione*, un *villaggio turistico*, un *campeggio*, un *agriturismo*.

Se prenoti una camera in albergo, bisogna ricordare che: *una doppia* è una camera con due le____ ____ mentre *una ma-tr_____* ____ le___

see glossary

Prendi un caffè?

Guardate la foto.
Observe the picture and say what the waiter has on his tray.

Do you know the names of other drinks in Italian?

That's Allegro

A Prendiamo un aperitivo?

1 Osservate.

Look at the pictures and tick (✓) the name
of food or drinks that you see.

☐ panino	☐ latte macchiato	☐ pasta
☐ caffè	☐ spumante	☐ succo di frutta
☐ gelato	☐ acqua minerale	☐ tramezzino
☐ aranciata	☐ cornetto	☐ zucchero

2 Ascoltate.

Listen to the dialogue and say what the three friends are having
at the bar.

● = Paolo ○ = Lucia △ = Claudio ▲ = cassiera

● Ragazzi, prendiamo un aperitivo al Bar del Corso?
○ Al Bar del Corso? Ma è caro!
● Beh, ma al banco...
○ E va bene.

Alla cassa

● Allora, che cosa prendete?
○ Io un Martini bianco.
● Prendi un Martini anche tu, Claudio?
△ No, io prendo una spremuta d'arancia.
● Allora... una spremuta, un Martini e per
   me... un prosecco. Quant'è?
▲ 8 euro e 20.
● Claudio, hai per caso 20 centesimi?
▲ Va bene anche così... ecco il resto e lo
   scontrino.

3 Completate.

Fill in with the missing verb forms and articles.

	prendere	avere
io	....	ho
tu	....	....
lui, lei, Lei	prende	ha
noi	....	abbiamo
voi	....	avete
loro	prendono	hanno

Che cosa prendete?
Io prendo un caffè.
Per me .... aperitivo.
uno spumante.
.... spremuta.
un'aranciata.

Complete the pictures on the right
side with feminine or masculine
forms of the indefinite article.

4 **Lavorate in gruppi.**
In small groups, imagine being in an Italian bar. Before walking to the cash register, ask your partners what they would like to have.

5 **Completate.**
Fill in the indefinite article.

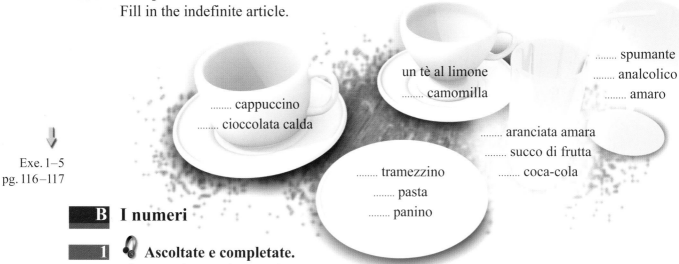

.... spumante
.... analcolico
.... amaro

un tè al limone
.... camomilla

.... cappuccino
.... cioccolata calda

.... aranciata amara
.... succo di frutta
.... coca-cola

.... tramezzino
.... pasta
.... panino

Exe. 1–5
pg. 116–117

B **I numeri**

1 🎧 **Ascoltate e completate.**
Listen to the numbers and repeat.

| zero | uno | due | tre | quattro | cinque | sei | sette | otto | nove |

| dieci | undici | dodici | tredici | quattordici | quindici | sedici | diciassette | diciotto | diciannove |

| venti | .... | .... | .... | .... | .... | .... | .... | cento |

Now listen again and insert the missing numbers.

ottanta   cinquanta   novanta

trenta   settanta   quaranta   sessanta

2 🎧 **Ascoltate.**
Now listen to some brief dialogues in a bar and tick (✓) the prices mentioned in the conversations.

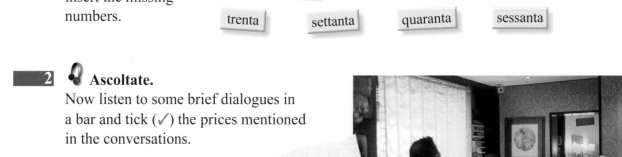

○ 2.50   ○ 12.00
○ 2.15   ○ 15.50
○ 5.70   ○ 1.20
○ 17.50   ○ 4.40

Exe. 6–7
pg. 117–118

That's Allegro

C Volete ordinare?

1 Guardate e ascoltate.
Look at the picture and listen.
What are the customers ordering?

2 Ascoltate e completate.
Listen again and complete the order.

- Senta... scusi...

○ Volete ordinare?

- Sì, io vorrei .... e

....

○ Gassata o naturale?

- Naturale.

○ Va bene.

▲ Per me .... e una pasta.

△ Un cappuccino anche per me.

○ E per Lei?

◆ Mmm, per me un caffè, una minerale gassata e ....

◇ Io invece prendo .... di frutta alla pesca.

3 Ascoltate e completate.
Listen to the way the waiter repeats the order.

○ Allora, due caffè, due bicchieri d'acqua minerale, due cappuccini,
due paste e un succo di frutta alla pesca. Basta così?

Insert the plural nouns in the chart.

un cappuccino	due ....
un bicchiere d'acqua	due .... d'acqua
una pasta	due ....
un caffè	due ....

Observe the endings
of the plural nouns.
What do you notice?

4 Lavorate in coppia.
In pairs, read to each
other the orders
taken by the waiter.

Tavolo 1
cornetto ||
tè al limone |
caffè ||

Tavolo 2
cappuccino ||
pasta ||
caffè |

Tavolo 3
spremuta d'arancia ||
gelato |
tramezzino ||

5 Lavorate in gruppi.
Form small groups. One of you will be the waiter, the others
the customers sitting at a table. You order and the waiter
takes the orders, repeating them at the end.

Exe. 8–9
pg. 118

D Com'è il caffè?

1 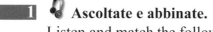 **Ascoltate e abbinate.**
Listen and match the following
sentences to the photographs.

1. Il caffè è un po' freddo.
2. Accidenti che panino!
3. Questa pasta è troppo dolce.
4. Mmmh... questa pizzetta è proprio
   buona!

2 Completate.
Complete the answers with an adjective.

Com'è	il caffè?		....
	il panino?	È	grande.
	la pizzetta?		....
	la pasta?		....

Observe the endings in the singular of
the adjectives. What do you notice?

3 Lavorate in gruppi.
Take turns creating some brief dialogues on the food and drinks that follow.
Look at the example.

ESEMPIO
- Com'è il caffè?
  - È un po' freddo.
- È buona la cioccolata?
  - Sì, è proprio buona. / No, è troppo dolce.

un po'

proprio

troppo

buono / buona

amaro / amara

freddo / fredda

dolce

caldo / calda

cornetto · caffè · gelato

cioccolata · spremuta · birra

Exe. 10
pg. 119

Ascolto

1  **Ascoltate e prendete nota.**
Listen to the dialogue and write down the words you already know. Afterwards, compare
your notes to the ones your partners took.

2 **Ascoltate e fate delle ipotesi.**
Listen to the dialogue again and make guesses with a partner: what are these people talking
about?

3 🎧 **Ascoltate e mettete una crocetta.**

Listen to the dialogue and tick (✓) the correct statements.

Maria Teresa a colazione di solito prende

☐ un caffè e un panino.

☐ un caffellatte e pane e marmellata.

Marco a colazione di solito prende

☐ un caffè e un cornetto.

☐ un tè e cereali.

E Ancora numeri!

1 🎧 **Ascoltate.**

Listen to the numbers and repeat.

20	venti	25	venticinque	200	duecento	700	settecento
21	ven**tu**no	26	ventisei	300	trecento	800	ottocento
22	ventidue	27	ventisette	400	quattrocento	900	novecento
23	ventitré	28	ven**to**tto	500	cinquecento	1000	mille
24	ventiquattro	29	ventinove	600	seicento	2000	duemila

2 🎧 **Ascoltate e sottolineate.**

Listen and underline the correct number.

44 ◆ 400   600 ◆ 400   87 ◆ 68   50 ◆ 15   1000 ◆ 2000

3 📖 **Leggete.**

Read this newspaper excerpt.

365 colazioni, pranzi e cene di un italiano medio

Il menu di un anno a tavola

Primo piatto: 60 kg di pasta al sugo di pomodoro.
Secondo: 82 kg di carne.
Contorno: 40 kg d'insalata.
Dessert: 13 kg di torta.
E da bere: 75 bottiglie di vino, 69 lattine di birra, 81 litri di latte e 715 tazzine di caffè.

1 kg = 1 chilo
60 kg = 60 chili

4 **Completate.**

Complete the text with the information provided in the previous exercise.

In un anno un italiano mangia sessanta chili di pasta, ottantadue chili di ...., tredici chili di .... e beve settantacinque bottiglie di ....

Exe. 11
pg. 119

F Cosa avete di buono oggi?

1 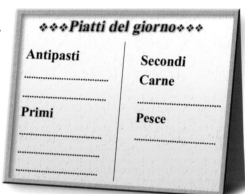 **Ascoltate e completate.**
Listen to the dialogue. Which types of the food mentioned do you already know?

- Buonasera!
- ○ Buonasera, Raffaele. Un tavolo per due, per favore.
- Sì, prego... questo va bene?
- ○ Sì, va benissimo!
  ...
- ○ Cosa avete di buono oggi?
- Allora .. oggi abbiamo... come antipasto bruschetta al pomodoro o ai funghi, di primo minestrone, orecchiette al pesto e cannelloni con gli spinaci e di secondo calamari alla siciliana e coniglio in umido.
- ○ Signor Andersen, Lei cosa prende?
- △ Mah, veramente non so... avete anche le lasagne?
- No, mi dispiace.
- △ E va bene, allora per me i cannelloni e di secondo prendo i calamari.
- Va bene. E per Lei, signor Rinaldi?
- ○ Dunque, provo anch'io i calamari alla siciliana...
- Niente primo?
- ○ No, però prendo un antipasto... la bruschetta al pomodoro.
- E da bere?
- ○ Mezzo litro di vino bianco della casa e una bottiglia di acqua minerale gassata, per favore.
- Benissimo.

Now, complete the menu of the day.

❖❖❖ *Piatti del giorno* ❖❖❖	
Antipasti	**Secondi**
....	**Carne**
....	....
Primi	**Pesce**
....	....
....	
....	

2 **Completate.**
Complete with the definite article.

Che cosa prendi/prende di primo?
Di primo prendo ...... cannelloni con ...... spinaci. ...... lasagne.

What are the feminine and masculine plural forms of the definite article? Insert them in the pictures.

....

3 **Prendete appunti.**
Read the dialogue one more time and write the corresponding sentences in the boxes.

Informarsi sui piatti del giorno	Ordinare
....	....
....	....
....	....

↓
Exe. 12–14
pg. 119–120

That's Allegro

G Andiamo al ristorante!

1 **Leggete**.

Read the menu. Which of these dishes do you know?

Ristorante La Piazzetta

MENU

ANTIPASTI

Mozzarella di bufala con pomodorini e rucola	8.00
Crostini di fegatini alla fiorentina	4.00
Piccola zuppa di pesce fresco	6.00

PRIMI

Tagliatelle al sugo di cinghiale	7.50
Ravioli con funghi porcini	7.50
Gnocchetti al gorgonzola	7.50
Lasagne alle verdure	7.50
Farfalle alla pescatora	7.50

SECONDI

Coniglio alla griglia	8.00
Bistecca di maiale	8.00
Agnello in umido	11.00
Calamari alla siciliana	10.00
Trota alla mugnaia	12.50

CONTORNI

Fagioli all'olio	3.00
Peperoni alla griglia	3.00
Spinaci aglio e olio	3.50
Patate fritte	3.50
Insalata mista	3.50

DESSERT

Torta di noci	4.00
Biscottini di Prato e vinsanto	3.00
Frutta di stagione	2.50

Coperto € 2.00
IVA e servizio inclusi

2 **Un po' di fonetica.**

Listen and repeat what the waiter of the restaurant *La Piazzetta* recommends.

3 **Lavorate in coppia.**

In pairs, read the menu again and then create some short dialogues as shown in the example.

ESEMPIO
● Che cosa prendi / prende di contorno con il coniglio?
○ Le patate fritte.

4 **Fate conversazione.**

Work in small groups. One person is the waiter, the others the customers that order food and drinks.

Exe. 15–17
pg. 121

Ricapitoliamo!

In small groups, imagine you are sitting in an Italian restaurant. Read the menu and create some short dialogues: what are you going to have for appetizers, first course, second course, etc.? What are you going to drink?

E da bere che cosa prendiamo?

Si dice così

Introduce a sentence or phrase

> Allora, ...
> Dunque, ...

Agree

> Va bene.
> Benissimo!

Express indecision

> Mah (veramente), non so...

Express surprise/wonder

> Accidenti!

Say you are sorry

> Mi dispiace.

Give something to someone

> Ecco lo scontrino.
> Ecco il resto.

Kindly ask for something

> Un tavolo per due, per favore...

Order something

> Prendo un cappuccino.
> Vorrei un caffè.
> Per me una pizzetta.
> Di primo prendo...
> Di secondo vorrei...
> E da bere...

Ask somebody's opinion about something

> Com'è il caffè?

Express an opinion

> Il caffè è un po' freddo.
> La pasta è troppo dolce.
> La pizzetta è proprio buona.

Ask for a price

> Quant'è?

Grammatica

1. Verbo *avere* e verbi in *-ere* → 18, 19, 31

	prendere	bere	avere
io	prendo	bevo	ho
tu	prendi	bevi	hai
lui, lei, Lei	prende	beve	ha
noi	prendiamo	beviamo	abbiamo
voi	prendete	bevete	avete
loro	prendono	bevono	hanno

2. Articolo indeterminativo → 5

maschile	*femminile*
un aperitivo	**una** pizza
uno spumante	**un'**aranciata

3. Articolo determinativo: forme al plurale → 5

maschile	*femminile*
i cannelloni	**le** lasagne
gli antipasti	
gli studenti	

4. Sostantivi: desinenze al plurale → 4

singolare	*plurale*
un panino	due panin**i**
un'aranciata	tre aranciat**e**
un ristorante	due ristorant**i**
un caffè	quattro caff**è**
un bar	due ba**r**

5. Aggettivi: concordanza con il sostantivo → 12

Vorrei un tè fredd**o**.
Il tè è fredd**o**.
Vorrei una pizzetta cald**a**.
Questa pizzetta non è cald**a**.

6. Gli interrogativi → 17

Che cosa prendi?
Com'è la pizzetta?
Dove abitate?
Di dov'è signora?
Quando arrivate?
Come mai vai a Senigallia?

notes

Tu che cosa fai?

Guardate la pubblicità.
What professions is the baby dreaming of?

Da grande farò...

il domatore, e...
l'ingegnere, il pilota
e... Batman

Jobspot.com
Il lavoro per te

Do you know the names of
other jobs and professions in Italian?

That's Allegro

A Faccio il tassista.

1 Lavorate in coppia.
Look at the images and say what these professions are called in your language.

l'insegnante

la commessa
il commesso

il/la tassista

l'operaio specializzato
l'operaia specializzata

l'infermiera
l'infermiere

l'impiegato
l'impiegata

il medico

la casalinga
il casalingo

il programmatore
la programmatrice

2 Lavorate in gruppi.
In small groups, now write the professions that correspond to these work places.

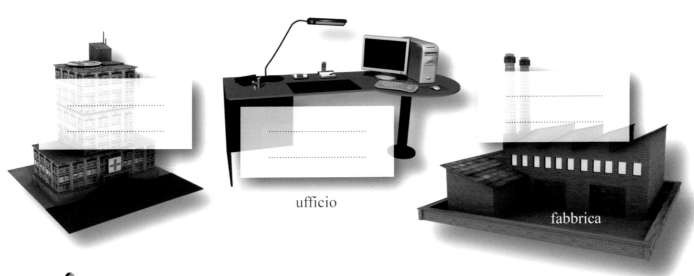

ufficio

fabbrica

3 🎧 Ascoltate.
Listen to the introductions of some people attending a course at the "Università Popolare di Roma" and say what jobs these people have.

4 🎧 **Riascoltate e sottolineate.**

Listen to the presentations again and underline the expressions these people use to say what they do.

«Mi chiamo Giovanna. Sono infermiera e abito a Frascati.»

«Ciao, io sono Angela. Sono di Viterbo e studio economia qui a Roma.»

«Salve, sono Luciana, sono insegnante e vivo a Ostia.»

«Io mi chiamo Michele, ho 27 anni, sono di Latina e faccio il tassista.»

«Io sono Rosa, ho 62 anni e sono pensionata.»

«Mi chiamo Alessandra, sono impiegata e lavoro in una ditta di import-export a Pomezia.»

How do you say your age in Italian?

5 Completate.

Fill in the missing verb form.

fare	
io	....
tu	fai
lui, lei, Lei	fa
noi	facciamo
voi	fate
loro	fanno

Tu che cosa fai?	Lei che lavoro fa?
Faccio il tassista.	
Sono medico.	
Sono pensionato.	
Studio medicina.	
Adesso non lavoro, sto a casa.	

6 Cercate un collega.

Try to understand if one of your partners works in the same field as you. Walk around the classroom and ask your classmates what they do for a living. If you still don't know the Italian word to indicate your profession, try to explain with the help of the expressions that follow or with the help of your teacher.
Lavoro...

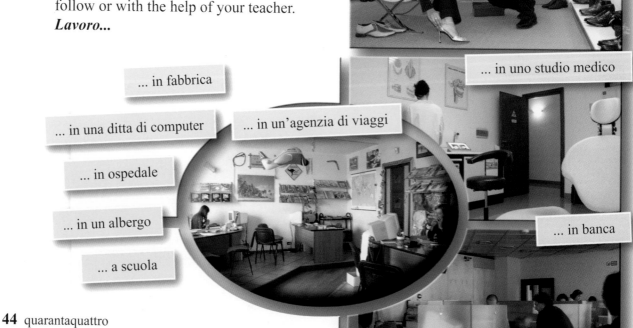

... in un negozio di scarpe

... in uno studio medico

... in fabbrica

... in una ditta di computer

... in un'agenzia di viaggi

... in ospedale

... in banca

... in un albergo

... a scuola

Exe. 1–4
pg. 122–123

B Com'è il nuovo lavoro?

1 **Ascoltate.**

Listen to the dialogue and try to understand if Paola is happy about her new job.

- ● Ciao, Mariella!
- ○ Ciao, Paola! Ma non lavori oggi?
- ● Sì, ma oggi è lunedì, la mattina il negozio è chiuso.
- ○ Ah, già, è vero... E allora, com'è il nuovo lavoro?
- ● Guarda, sono proprio contenta, mi piace molto... anche con le colleghe vado d'accordo, sono giovani, simpatiche.
- ○ Ah, bene!
- ● Ho solo un problema: gli orari poco flessibili. La sera torno a casa tardi e lavoro anche il sabato pomeriggio...
- ○ Insomma è un lavoro impegnativo...
- ● Eh sì, è impegnativo, a volte anche stressante, però almeno è vario. E tu? Novità?
- ○ Purtroppo no. Ma domani ho un collo-quio alla Moggi e... speriamo bene!
- ● Beh, allora in bocca al lupo!

2 Completate.

What parts of the day are Paola and Mariella talking about? Insert the words in the blanks to your right.

.... a mezzogiorno   il pomeriggio   .... la notte

3 Mettete una crocetta.

Tick (✓) the adjectives used by Paola to describe her job.

| ☐ interessante | ☐ impegnativo | ☐ faticoso | ☐ stressante |
| ☐ creativo | ☐ noioso | ☐ vario | ☐ comodo |

4 Lavorate in coppia.

In pairs, say what's it like, in your opinion, to be a housewife, a teacher and a taxi driver.

ESEMPIO Secondo me, le casalinghe fanno un lavoro...

5 Completate.

Read the dialogue between Paola and Mariella once again and then complete the sentences with the adjectives' endings.

Gli orari	sono comodi.
	sono poco ....
Le colleghe	sono ....
	sono ....

comodo → comod...
flessibile → flessibil...
simpatica → simpatic......
giovane → giovan...

Now observe the plural endings of the adjectives. What do you notice?

Exe. 5–8
pg. 123–125

6 **Fate conversazione.**
Tell your partner something
about your job.

> Il mio lavoro è...
> L'ufficio...
> I colleghi/le colleghe...
> Gli orari...
> L'atmosfera...

Ascolto

1 **Ascoltate.**
Listen to the dialogue and tell if Fulvia and Alida are happy with their jobs.

2 **Ascoltate e mettete una crocetta.**
Listen again to the dialogue and tick (✓) the adjective that Fulvia uses to describe her profession.

☐ impegnativo   ☐ interessante   ☐ creativo

3 **Ascoltate e scegliete.**
Listen to the dialogue between
Fulvia and Alida one more time
and choose the correct statements.

> *Fulvia* lavora in un ristorante.
> lavora in una scuola.
> lavora per un tour operator.
>
> *Alida* lavora con i bambini.
> lavora con persone giovani.
> lavora con i pensionati.

4 **Completate.**
Complete the sentences.

Fulvia lavora in ....
Alida lavora in ....

C **Cucino, pulisco, stiro. E sono contento.**

1 **Leggete.**
Read the text.

Cucino, pulisco, stiro. E sono contento.

■ FIORENZO BRESCIANI, 49 anni, casalingo ed ex-imprenditore, membro del «Movimento uomini casalinghi», racconta.

«Sono casalingo e la mia vita gira intorno alla casa... e a mia moglie. Lei è medico e il suo lavoro è molto stressante. Ma anch'io ho tanto da fare. Ecco la mia giornata: la mattina preparo la colazione, faccio il letto, metto in ordine, pulisco, stiro - ma stirare non è il mio forte – e vado a fare la spesa. Il pomeriggio lavoro nello studio di mia moglie, poi torno a casa e preparo da mangiare, così quando lei finisce di lavorare la cena è già pronta... ormai sono un cuoco perfetto!»

2 Lavorate in coppia.

In pairs, match the actions to the pictures and say what Fiorenzo does throughout the day.

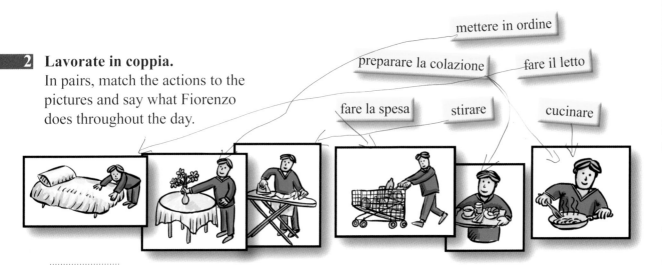

mettere in ordine

preparare la colazione   fare il letto

fare la spesa   stirare   cucinare

....

....

....

3 Raccontate.

Say which of the activities described above you do quite well and how frequently.

ESEMPIO   Io cucino raramente, ma faccio spesso la spesa.

ogni giorno	●	●	●	●	●	●	
spesso	●	●		●	●	●	
di tanto in tanto			●		●		
raramente			●				

4 Completate.

Read the newspaper article again and complete with the missing words.

finire	
io	finisco
tu	finisci
lui, lei, Lei	....
noi	finiamo
voi	finite
loro	finiscono

.... vita gira intorno alla casa e a

.... moglie.

.... lavoro è molto stressante.

What do you notice about the use of the possessive adjectives?

5 Completate.

Mariangela Bresciani, Fiorenzo's wife, narrates. Complete the text with possessive adjectives and definite articles.

« Io sono medico. .... lavoro mi piace molto, anche se è piuttosto faticoso e .... giornata tra ospedale e studio è molto stressante. Per fortuna però in casa fa tutto .... marito. Be' insomma, tutto proprio no... stirare veramente non è .... forte, però cucina benissimo! »

6 Fate un'inchiesta.

Ask your partner the following questions. Write the answers on a sheet of paper and share the results of your survey with your class.

Che cosa fai la mattina / a mezzogiorno / il pomeriggio?

Quali lavori di casa fai volontieri?

Com'è la tua giornata?

Exe. 9–13 pg. 125–126

D Mi dispiace, ma non posso...

1  Ascoltate.

Which days of the week are Cristina and Andrea talking about?

- Andrea, scusa, martedì puoi andare tu a prendere Rebecca a scuola?
○ Perché?
- Perché ho un appuntamento dal dentista.
○ Ehm, allora devo finire di lavorare prima.
- Eh, sì. Mi dispiace, ma io non posso proprio.
○ Va bene. E giovedì?
- Come giovedì? Giovedì ci vado io, come al solito.
○ Ma non devi lavorare il pomeriggio?
- Ma no, la settimana prossima ho sempre il turno di mattina.
○ Anche domenica?
- No, domenica, per fortuna, sto a casa.
○ Allora possiamo andare a trovare mia madre!
- Ma come?
○ Dai, Cristina, non cominciamo di nuovo...
- E va bene.

2 Completate.

Complete the chart with the days of the week and compare your results with the daily planner on page 23.

lunedì	....	mercoledì	....	venerdì	sabato	....

3 Completate e confrontate.

Read the dialogue between Cristina and Andrea one more time. Write down what Cristina does during the week. Compare your answers with your partner's.

Martedì ....
Giovedì ....
Domenica, per fortuna, ...

4 Completate.

Complete with the verbs *potere* and *dovere*.

	potere	dovere
io	....	....
tu	....	....
lui, lei, Lei	può	deve
noi	....	dobbiamo
voi	potete	dovete
loro	possono	devono

Perché non puoi andare a prendere Rebecca?	
Perché	devo andare dal dentista. lavoro di pomeriggio.

5 Lavorate in gruppi.

Work in small groups and ask four questions, based on the example, about the dialogue between Cristina and Andrea. Have another group answer your questions.

ESEMPIO   Perché martedì Andrea deve finire di lavorare prima?

6 Dite perché.

Your teacher is asking you to have a lesson next Tuesday afternoon (instead of Monday). Unfortunately, this is not a good day for you. Explain why, with the help of the expressions provided below.

| finire | andare a trovare | mia madre/mio padre | dal dentista/dal medico |

| andare a prendere | andare | il pomeriggio | i bambini a scuola |

| lavorare | avere | un appuntamento | un lavoro |

ESEMPIO   Martedì pomeriggio non posso perché devo finire un lavoro.

7 Lavorate in gruppi.

Work in groups of three. Imagine you live together in a flat and you have to share the chores in the house. Prepare a list of everything you need to do and who has to do it.

fare la spesa
pulire il bagno
stirare
preparare la cena
....
....
....

Exe. 14–17
pg. 126–127

E   Un po' di fonetica

1   Ascoltate e completate.

Listen and complete the following words with one or two consonants.

fa......rica	co......esso	pen......ionato	ta......ista	u......icio
fle......ibile	nego......io	sa......ato	co......ega	o......i
a......ocato	ma......ina	a......enzia	me......ogiorno	po......eriggio
co......oquio	intere......ante	di......a	archi......etto	stre......ante

Ricapitoliamo!

Work with a partner. Look at the pictures of these four people and imagine you are one of them. Say some things about your life and answer the questions your partner will ask to find out more about you.

Si dice così

Say your age	**Express likes/dislikes**
Ho 27 anni.	Il mio lavoro mi piace molto.
Address someone in an assertive manner	**Express satisfaction**
Andrea, scusa... Dai, Cristina... No, guarda...	Sono proprio contento.
	Say you are sorry, apologize
Express trust	Mi dispiace, ma io non posso proprio.
Speriamo bene.	**Say your profession**
Express relief	Sono infermiere. Faccio il tassista. Studio economia.
Domenica, per fortuna, non lavoro.	
Ask why / Give a reason	
Perché oggi non lavori? Come mai	Perché il negozio è chiuso.

That's Allegro

1. Sostantivi: nomi di professioni → 3

maschile	femminile
l'impiegato	l'impiegata
l'infermiere	l'infermiera
il programmatore	la programmatrice
	il/la tassista
	l'insegnante
	il medico

2. Il verbo *fare* e i verbi in *-ire* come *finire* → 18, 31

	finire	fare
io	finisco	faccio
tu	finisci	fai
lui, lei, Lei	finisce	fa
noi	finiamo	facciamo
voi	finite	fate
loro	finiscono	fanno

3. I verbi modali *potere* e *dovere* → 22

	potere	dovere
io	posso	devo
tu	puoi	devi
lui, lei, Lei	può	deve
noi	possiamo	dobbiamo
voi	potete	dovete
loro	possono	devono

4. Aggettivi possessivi: forme al singolare → 10

maschile	femminile
il mio lavoro	la mia giornata
il tuo lavoro	la tua giornata
il suo/il Suo lavoro	la sua/la Sua giornata
But: mio marito	mia moglie

5. Aggettivi: desinenze al plurale → 11, 12

chiuso ⟺ chiusi	I negozi sono chiusi.
chiusa ⟺ chiuse	Le banche sono chiuse.
flessibile ⟺ flessibili	
Attention:	simpatico ⟺ simpatici
	simpatica ⟺ simpatiche

6 Ripasso

A Ancora vocaboli

1 Parole illustrate

Dear students,
How is the archiving of new words going? Do you like it?
Do you know that this exercise can be more efficient and fun if you draw a picture next to some of those words? On the list, you can also insert small illustrations, while on the index cards you will have enough room for small photographs that you can find in newspapers.

i calamari (pl.) ....
alla siciliana ....

il coniglio ....
in umido ....

scarpe

Lavoro in un negozio di scarpe.

2 Le cose di tutti i giorni

You certainly know by now the Italian name for many objects you have in the house. In order to learn the name of other objects or to remember easily the ones you already know, try to stick some "post-it" notes on them with their Italian names. This way, the more often you see words like 'tavolo' or 'bicchiere', the more easily you will remember them.
If you have a calendar, write the days of the week in Italian!

3 Rime e ritmi

Even rhymes and rhythms can help you remember words better. You don't remember whether to say *cena* or *pranzo*? Maybe you can associate *cena* with *sera*.
Appuntamento seems too long and difficult to remember? You can say it in a rhythmical way and find a rhyme. For example: *Ho un appuntamento con Leo in piazza Trento.*

4 Provate un po'!

Now, review the vocabulary of the last two units (4 and 5). There certainly are words that you cannot remember at all, because they look very difficult. Write three of these words and try to follow our suggestions above.

B Impariamo ad ascoltare!

Since the beginning of the course, you have listened to many dialogues; some were in the book, some were not. In order to comprehend a written excerpt or a conversation, it is not important to understand every word as much as it is important to:

- imagine the situation;
- understand the context;
- understand as much information as possible from the tone of the voice;
- concentrate on a particular piece of information.

1 🎧 C'è tono e tono!

Listen now to these four brief dialogues and try to understand the situation from the speakers' voices.

☐ Qualcuno si lamenta.

☐ Qualcuno chiede un'informazione.

☐ Qualcuno racconta un episodio divertente.

☐ Qualcuno è arrabbiato.

2 Gesti, mimica e altri fattori

It is not just the tone of the voice that makes understanding a conversation easier. There are also other methods. Background noises, for example, that sometimes sound like a nuisance, often offer useful hints to understanding a situation.

In the chart below, tick (✓) the kind of information that you think can help in the following situations.

	In listening texts	In a personal conversation	Over the phone	When listening to the radio	In some ads, for example, on the radio or TV
the tone of voice					
gesture and mimics					
background noises					
key words					
knowing the type of text					
knowing the situation					

3 🎧 Ed ora attenzione!

Listen to an unknown text. Which of the hints mentioned above are of help to you?

C Ma quante domande!

1 Domandate e rispondete.

The rules of the game are on page 186.

Lavoro

Quando ...?

Che cosa ...?

Casa

Ristorante

Come ...?

...?

	lunedì	martedì	mercoledì	giovedì	venerdì	sabato	domenica
dentista							
		avvocato					
Impegni				cinema		trattoria romana	

Perché ...?

Bar

Che ...?

Come mai ...?

Due caffè, per favore!

• Una frase, questa, che nei bar italiani ascoltiamo continuamente. E quando un italiano ordina un *caffè* senza dire nient'altro significa che vuole un *espresso*.

L'espresso può essere *macchiato*, con un po' di latte; *corretto*, con un po' di cognac o di grappa; *lungo*, più caffè ma meno forte; *ristretto*, meno caffè ma più forte.

Gli italiani bevono il *cappuccino* soprattutto la mattina, ma non dopo un pasto. Normalmente, a casa fanno una colazione leggera, non pesante. Gli adulti prendono una tazzina di caffè espresso, fatto con la *moka*, o un *caffellatte* o uno *yogurt*. I bambini, invece, una tazza di latte dove mettono *biscotti* o *cereali* (cornflakes).

• Il tipico cliente del bar beve il caffè in piedi. Bere o mangiare al tavolo costa di più perché bisogna pagare anche il *servizio*. Quando un italiano entra in un bar italiano passa quasi sempre prima dalla *cassa*, per pagare, e poi, con lo *scontrino*, va al *banco* dove fa l'ordinazione e dove, magari, parla un po' con il *barista*. Tutto ciò dura soltanto pochi minuti, ma più volte al giorno: per una *pasta* o un *tramezzino* prima del lavoro o nell'intervallo; per un *aperitivo* prima di mangiare o dopo il lavoro; per un caffè dopo il pasto. Quando una compagnia va al bar, di solito, qualcuno dice: «*Offro io!*» e quindi paga per tutti.

Nelle città italiane, soprattutto in centro, troviamo un bar quasi ad ogni angolo di strada. Nei piccoli paesi il bar è un punto d'incontro molto importante per tutti: lì è possibile giocare a carte, chiacchierare e guardare le partite di calcio in TV.

Andiamo a mangiare!

• In Italia, chi vuole mangiare fuori può scegliere di andare in *pizzeria* dove, spesso, oltre alla *pizza* è possibile ordinare anche un piatto di *pasta*; in *trattoria*, dove troviamo una scelta limitata ma ottima di piatti regionali; al *ristorante* che offre certamente un menu più ricco. Quando amici o conoscenti vanno a mangiare fuori, il conto si paga *"alla romana"*, cioè ognuno paga la sua parte, oppure una persona offre a tutti.

Sul conto c'è il *coperto*, fisso per ogni cliente, che comprende anche il pane servito a tavola durante il pranzo.

I clienti, per legge, devono prendere la ricevuta.

Lavoro e famiglia

• Anche in Italia, come in tanti Paesi, c'è la necessità di combinare lavoro e famiglia. Il problema più grande è per le tante donne che lavorano oggi, perché il lavoro part-time, a mezza giornata, è poco diffuso. Molte, però, sono le possibilità per la famiglia di lasciare i figli durante l'orario di lavoro. Ai nonni, poi, piace sempre molto stare con i nipoti.

• Naturalmente, sono sempre di più gli uomini che hanno la responsabilità della casa e dell'educazione dei figli se la moglie lavora.

see glossary on page 176

C'è una banca qui vicino?

Osservate e scrivete.
Look at the pictures and match the words provided to the photographs.

edicola

cinema

fermata dell'autobus

supermercato

ufficio postale

Do you make out anything else in the pictures?

A Dove vai così di corsa?

1 🎧 **Ascoltate**.

Listen to the dialogue between Franco and Beatrice: di quali negozi, uffici ecc. parlano?

- ● Beatrice! Bea!
- ○ Ehi, ciao, Franco!
- ● Ma dove vai così di corsa?
- ○ Eh, guarda, tra poco arriva mia sorella e io devo ancora fare la spesa, andare all'ufficio postale e passare anche dal fioraio. Ma tu, che fai da queste parti?
- ● Faccio un salto al Centro TIM, ho un problema al cellulare... ah, senti, sai per caso se c'è un bancomat qui vicino?
- ○ Mah, veramente qui nel quartiere non ci sono banche... però aspetta, in piazza Tasso c'è la Banca Commerciale.
- ● Ah già, è vero!
- ○ Scusa, ma adesso devo proprio scappare, eh... Ciao e saluti a Nicoletta!
- ● Ciao.

2 **Rispondete e confrontate.**

Tick (✓) only the statements mentioned in the dialogue. Then, compare your answers with the ones provided by one of your classmates.

☐ Beatrice va dalla sorella.

☐ Il cellulare di Franco non funziona bene.

☐ Franco va al Centro Tim.

☐ In piazza Tasso non ci sono banche.

3 **Completate e osservate.**

Fill in the missing prepositions.

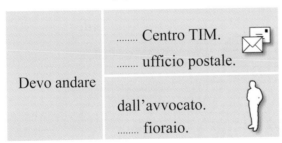

Devo andare	.... Centro TIM.	✉
	.... ufficio postale.	
	dall'avvocato.	🧍
	.... fioraio.	

The prepositions (*a*, *da*, *in*) followed by the definite article create one word, as in the example.

a + il	a + lo	a + l'	a + la
al	*allo*	*all'*	*alla*

Now, you try to write the forms of the preposition *da*, followed by the definite articles.

4 **Lavorate in coppia.**

Working in pairs, say what you have to do next week. If you want, you can use the examples provided below.

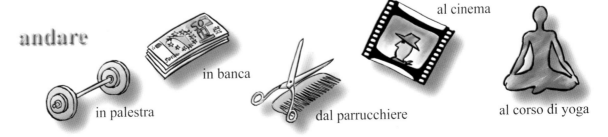

andare

in palestra in banca dal parrucchiere al cinema al corso di yoga

5 Completate.

Complete the sentences.

C'è una banca qui vicino?	Ci sono alberghi in questo quartiere?
No, nel quartiere non .... banche.	Sì, ... l'Hotel Venezia.

6 Lavorate in coppia.

Do you have a good memory? With your classmate, try to remember what is in the pictures on page 56.

Exe. 1–6
pg. 128–129

ESEMPIO   Dunque, ci sono due..., c'è...

B Dov'è la fermata dell'autobus?

1 Ascoltate e osservate.

Listen as you look at the illustrations.

Scusi, dov'è la fermata dell'autobus?

 È di fronte all'Hotel Puccini.

 È davanti alla stazione.

 È accanto al duomo.

2 Lavorate in coppia.

Work in pairs. Each one of you (student *A* - yellow color, and student *B* - pink color) must randomly insert his/her words next to each building, yellow or pink. Then, using some questions, you have to understand where your partner's buildings are. The answers can only be *sì* or *no*.

A

Centro Tim
Banca
Posta
Cinema

B

Farmacia
Ristorante
Supermercato
Albergo

That's Allegro

3 Fate conversazione.

Ask your partner if there are restaurants or other stores near where he/she takes Italian lessons.

ESEMPIO • C'è un ristorante italiano qui vicino?
  ○ Sì, accanto alla banca.

Exe. 7–9
pg. 129–130

C Ma che ore sono?

1 Guardate e ascoltate.

Listen to the time and observe the clocks below.

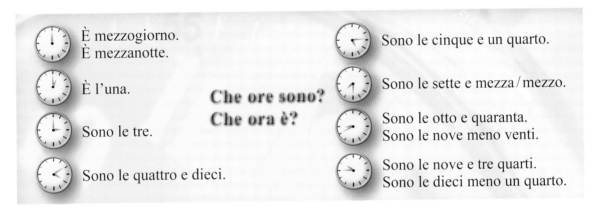

È mezzogiorno.
È mezzanotte.

È l'una.

Che ore sono?
Che ora è?

Sono le tre.

Sono le quattro e dieci.

Sono le cinque e un quarto.

Sono le sette e mezza/mezzo.

Sono le otto e quaranta.
Sono le nove meno venti.

Sono le nove e tre quarti.
Sono le dieci meno un quarto.

E adesso che ore sono?

2 Ascoltate.

Listen to the dialogue between two friends.

• Oddio, la farmacia è già chiusa!
  Ma che ore sono?
○ Eh, è l'una e mezza.
• E come faccio adesso?
○ Non puoi tornare oggi pomeriggio?
  Alle quattro apre di nuovo.
• No, no, le medicine per mia madre sono
  urgenti.
○ E allora perché non vai ai Gigli?
  Lì i negozi fanno l'orario continuato.
  Figurati, sono aperti dalle nove di matti-
  na alle dieci di sera.
• Anche la farmacia?

3 Completate.

Fill in the missing verb form and complete the sentences.

aprire	
io	apro
tu	apri
lui, lei, Lei	....
noi	apriamo
voi	aprite
loro	aprono

A che ora apre il centro commerciale?	A che ora chiude?
Apre .... nove.	Chiude .... dieci.

Quando è aperto il centro commerciale?

Il centro commerciale è aperto .... nove .... ventidue.

4 E da voi?

When are stores, post offices, banks, restaurants, etc. open in your town?
Work in small groups.

> **ESEMPIO** La banca vicino a casa mia apre alle ... e chiude alle ...
> La banca è aperta dalle ... alle ...
> Il supermercato fa l'orario continuato.

5 Osservate e discutete.

Observe the following signs. Are opening and
closing times different from the ones you are used to?

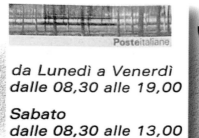

Posteitaliane

da Lunedì a Venerdì
dalle 08,30 alle 19,00

Sabato
dalle 08,30 alle 13,00

Oggi è di turno
questa Farmacia

Orario 9 - 13 e 16 - 20

Nelle ore di chiusura
della Farmacia e per le
SOLE RICETTE URGENTI
rivolgersi:
all'abitazione del Dottor

PIETRO CERRI
Piazza Boscaglia, 1
Tel. 0588 85085

BANCA COMMERCIALE ITALIANA
VENEZIA RIALTO
ORARIO DI SPORTELLO

MATTINO	8.35 -	13.35
POMERIGGIO	14.45 -	16.15

(ESCLUSI I SERVIZI DI CASSA CAMBIALI
E DI INCASSO BOLLETTE DI UTENZA)

SEMIFESTIVI   8.35 - 12.05

Chiesa S. Maria Antica

	apertura	chiusura
Mattino	7.30	12.30
Pomeriggio	15.30	19.00

6 Ascoltate.

Listen and insert the numbers from 1 through 6, based on the times shown on the clocks.

a) ___ b) ___ c) ___ d) ___ e) ___ f) ___

7 Lavorate in coppia.

Exe. 10–12
pg. 130–131

In pairs, make short dialogues. Say at what time you usually have breakfast, you go to work,
you go shopping, come back home, have dinner…

That's Allegro

Lettura

1 **Lavorate in gruppi.**
In groups of three, say how you imagine Italian squares.

2 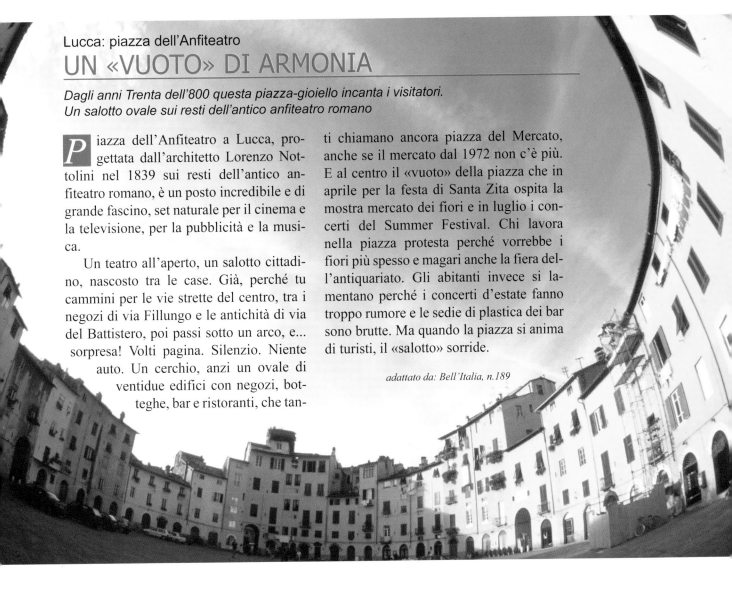 **Leggete.**
Read the article.

Lucca: piazza dell'Anfiteatro
UN «VUOTO» DI ARMONIA

Dagli anni Trenta dell'800 questa piazza-gioiello incanta i visitatori.
Un salotto ovale sui resti dell'antico anfiteatro romano

Piazza dell'Anfiteatro a Lucca, progettata dall'architetto Lorenzo Nottolini nel 1839 sui resti dell'antico anfiteatro romano, è un posto incredibile e di grande fascino, set naturale per il cinema e la televisione, per la pubblicità e la musica.

Un teatro all'aperto, un salotto cittadino, nascosto tra le case. Già, perché tu cammini per le vie strette del centro, tra i negozi di via Fillungo e le antichità di via del Battistero, poi passi sotto un arco, e... sorpresa! Volti pagina. Silenzio. Niente auto. Un cerchio, anzi un ovale di ventidue edifici con negozi, botteghe, bar e ristoranti, che tan-

ti chiamano ancora piazza del Mercato, anche se il mercato dal 1972 non c'è più. E al centro il «vuoto» della piazza che in aprile per la festa di Santa Zita ospita la mostra mercato dei fiori e in luglio i concerti del Summer Festival. Chi lavora nella piazza protesta perché vorrebbe i fiori più spesso e magari anche la fiera dell'antiquariato. Gli abitanti invece si lamentano perché i concerti d'estate fanno troppo rumore e le sedie di plastica dei bar sono brutte. Ma quando la piazza si anima di turisti, il «salotto» sorride.

adattato da: Bell'Italia, n.189

3 **Cercate le parole.**
In the reading, look for the words to insert in the columns below, and then compare your answers with your partners'.

edifici / locali	feste / manifestazioni
....	....
....	....
....	....
....	

PIAZZA ANFITEATRO

4 **Lavorate in coppia.**
In pairs, talk about the information that you can remember about the article on Piazza dell'Anfiteatro in Lucca.

D **Allora a più tardi!**

1 🎧 **Ascoltate.**
Marco explains to Luisa how to get to the street where the trattoria *La Tavernaccia* is. Listen to the entire dialogue and try to understand which reference points Marco is using.

- Beh, allora a più tardi... ci vediamo in trattoria. Tu, Luisa, vieni, no?
○ Sì, però aspetta, Marco. Io come faccio? Non so dov'è.
- Ah... beh, guarda, quando esci di qui giri subito a sinistra, vai avanti fino... no, aspetta, è un po' complicato. Ti faccio uno schizzo...

2 🎧 **Ascoltate e guardate lo schizzo.**
Looking at the map, listen again to the directions Marco is giving to Luisa.

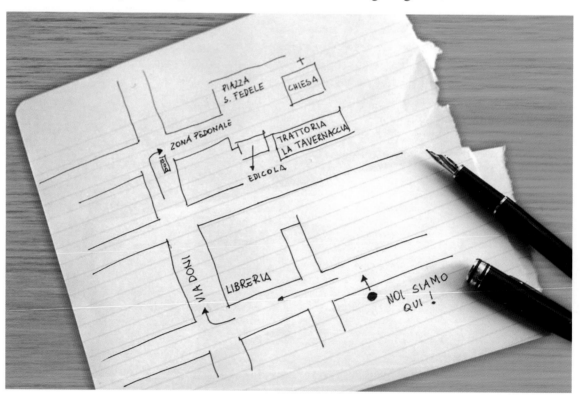

3 **Osservate il disegno e completate.**
Observe the map carefully and complete the description.

Allora, guarda, esci di qui, giri a sinistra e vai avanti. Poi attraversi l'incrocio e continui dritto fino alla .... Bene, poi giri a destra in .... e vai sempre avanti fino al semaforo. Lì giri ancora a destra, dove comincia la .... Ecco, dopo 50 metri circa arrivi in piazza .... e vedi subito la chiesa. E sulla destra, proprio accanto al-l'........................, c'è la trattoria *La Tavernaccia*, non puoi sbagliare. È chiaro?

4 Prendete appunti.

Insert the correct verbs in the gaps.

il po__nte

____la_strada____

la pi__zza

2. ....

a destra

a sinistra

3. ....

1. ....

fino all'incr__cio

fino al semaf__ro

5 Completate.

Fill in the missing verbs.

	sapere	venire	uscire
io	....	vengo	esco
tu	sai	....	....
lui, lei, Lei	sa	viene	esce
noi	sappiamo	veniamo	usciamo
voi	sapete	venite	uscite
loro	sanno	vengono	escono

Sai dov'è piazza San Fedele?

Dunque, tu esci di qui,
attraversi l'incrocio,
continui dritto fino a...

Scusi, per piazza San Fedele?

Allora, Lei va avanti fino al semaforo,
attraversa l'incrocio e
gira a destra...

6 Lavorate in coppia.

Work in pairs. One is giving the necessary directions to the other to go from the starting point, marked by a red dot, to the different places numbered on the map. Then, switch roles.

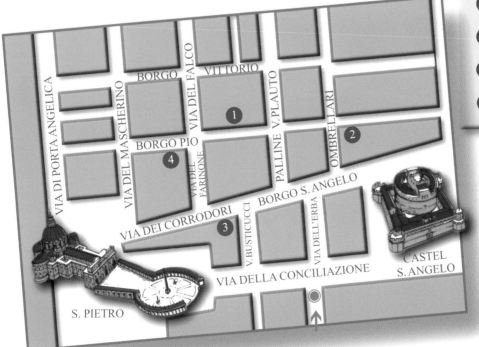

1 **L'Immagine** musica dal vivo

2 **Nuvolari** cocktail bar

3 **Ristorante Alfredo** a S. Pietro

4 **Il quadrifoglio** trattoria

Exe. 13–18
pg. 131–133

Ricapitoliamo!

What do you like about your city? Describe a square,
a street corner,
or something
else you find
interesting.
Discuss among
yourselves.

Si dice così

Ask someone where he/she intends to go or what he/she intends to do

Dove vai? Che fai da queste parti?	Devo andare all'ufficio postale. passare dal fioraio. fare la spesa. Faccio un salto al Centro TIM.

Ask where something is

Dov'è la Banca Commerciale?	È accanto al cinema. di fronte alla fermata. davanti al supermercato.

Ask if there is something nearby

C'è una banca qui vicino?	Sì, in via Larga c'è la Banca Commerciale. No, qui non ci sono banche.

Ask for and give information to go somewhere

Scusi, per piazza San Fedele?	Dunque, Lei va dritto fino al semaforo... gira a destra/a sinistra... attraversa l'incrocio... e arriva in piazza San Fedele.

Ask for and tell the time

Che ore sono? Che ora è?	Sono le undici. È l'una. È mezzogiorno / mezzanotte.

Ask for and tell time schedules

A che ora Quando apre la banca?	Apre alle otto.

64 sessantaquattro

That's Allegro

Grammatica

1. Verbi in *-ire* e il verbo *sapere* → 18, 31

	aprire	uscire	venire	sapere
io	apro	esco	vengo	so
tu	apri	esci	vieni	sai
lui, lei, Lei	apre	esce	viene	sa
noi	apriamo	usciamo	veniamo	sappiamo
voi	aprite	uscite	venite	sapete
loro	aprono	escono	vengono	sanno

2. *C'è / Ci sono* → 20

C'è un ristorante qui vicino?
In via Larga **ci sono** due banche.

But:
La Banca Commerciale **è** in piazza Tasso.
In piazza Tasso **c'è** la Banca Commerciale.

3. Preposizioni articolate (preposizione semplice + articolo determinativo) → 7

	il	l'	lo	la	i	gli	le
a	al	all'	allo	alla	ai	agli	alle
da	dal	dall'	dallo	dalla	dai	dagli	dalle
in	nel	nell'	nello	nella	nei	negli	nelle

4. Le preposizioni *a*, *da*, *in*: indicatori di luogo → 27

Devo andare **alla** posta.
Vado **dal** fioraio.

La banca è **in** via Larga/**in** piazza Tasso.
But: Qui **nel** quartiere non ci sono banche.

5. Indicatori di luogo con la preposizione *a* → 27

vicino al semaforo
accanto all'edicola
di fronte al cinema
davanti alla posta
fino all'incrocio
a destra/**a** sinistra

6. Come esprimere l'ora → 28, 30

Sono **le** tre e un quarto.
Vengo **all'**una e mezza.
Il museo è aperto **dalle** dieci **alle** sei.

notes

8 Che cosa hai fatto ieri?

Guardate le foto e abbinate.
Look at the pictures and write in each box the number of the corresponding activity.

1 fare sport
2 ascoltare la musica
3 andare ai concerti
4 andare in bicicletta
5 guardare la TV
6 fare foto
7 leggere
8 invitare amici a casa
9 andare al cinema
10 andare a vedere una mostra
11 navigare in Internet

What about you? What do you do in your free time? Narrate.

A Ti piace la musica italiana?

1 **Ascoltate.**
Listen to the conversation between Bettina and her Italian friend.
Which Italian singers are being mentioned?

- ● Bettina, ti piace la musica italiana?
- ○ Mah, dipende. Non mi piace la canzone
  melodica però mi piacciono molto i
  cantautori, Lucio Dalla, per esempio,
  o Paolo Conte...
- ● E Eros Ramazzotti, Nek, che sono così
  famosi da noi, non ti piacciono?
- ○ Mah... no, non tanto. Tra i giovani
  preferisco Jovanotti.
- ● Io, invece, da quando vivo all'estero
  amo tutta la musica italiana. Mi piace
  addirittura ascoltare le canzoni
  del Festival di Sanremo!
- ○ Sanremo? Ma scherzi?
- ● No, ti giuro! Guardo
  anche il Festival in
  televisione...

E voi? Quali sono i vostri
cantanti italiani preferiti?

2 Completate.
Complete with the forms of the verb *piacere*.

Ti / Le	ascoltare la musica? la musica italiana?	Sì, moltissimo. Sì, abbastanza.
Ti / Le	i cantautori?	No, non tanto. No, preferisco...

3 Lavorate in coppia.
In pairs, talk about your interests, your hobbies.

  cinema francese
film d'azione
commedie

  musica leggera
musica classica
canzoni popolari

  biografie
gialli
romanzi

  mostre di pittura
fotografia d'autore
mostre di antiquariato

↓
Exe. 1–3
pg. 134

B Cosa hai fatto di bello?

1  **Ascoltate.**

Listen to how Raffaele and Claudio spent the weekend.

- Allora, Claudio, cosa hai fatto di bello ieri?
- ○ Mah, niente di speciale. Ho dormito fino a tardi, poi ho incontrato Giulia e abbiamo pranzato insieme da Salvini.
- E come avete mangiato?
- ○ Benissimo! E poi abbiamo avuto l'idea di andare alla Mostra dell'Antiquariato...
- Ah, bello!
- ○ Sì, sì, Giulia ha anche comprato un vaso... ma che prezzi! E tu, invece?
- Io ho passato il fine settimana in campagna. Una pace che non ti dico...

2 **Sottolineate.**

In the dialogue, underline all the expressions that refer to the past.

3 **Completate.**

Complete the sentences with the missing forms of the *passato prossimo* and the verbs on the right hand column with the endings of the past participle.

Che cosa hai fatto ieri?
.... fino a tardi, poi
.... Giulia e
.... l'idea di andare alla Mostra.

pranz**are** → ho pranz........
avere → ho av........
dormire → ho dorm........
fare → ho fatto

4 **Completate.**

Complete with verbs in the *passato prossimo*.

Ieri Claudio .... fino a tardi, poi .... Giulia.
.... insieme e poi .... l'idea di andare alla Mostra dell'Antiquariato. Lì Giulia .... un vaso di Limoges.

5 **Lavorate in coppia.**

In pairs, say what you did last weekend using the expressions provided.

Lo scorso fine settimana...

- fare una passeggiata
- giocare a carte
- guardare la televisione
- cucinare
- avere ospiti
- lavorare in giardino
- dormire fino a tardi
- giocare a tennis
- pulire la casa

Exe. 4–6
pg. 135

That's Allegro

C È stata proprio una bella giornata.

1 Leggete.
Read the two e-mails.

Ciao Arianna!

Grazie ancora dell'invito. È stata proprio una bella domenica. Sono arrivato a casa un po' tardi per via del traffico e sono andato subito a letto. È proprio vero, sciare è faticoso! E tu che cosa hai fatto dopo? Hai letto finalmente il giallo di Camilleri? Ciao e buona settimana!

Stefano

- -

Altro che Camilleri!

È venuta Luciana, una mia ex compagna di scuola, e siamo andate insieme a mangiare una pizza. Figurati, sono tornata a casa alle due... Comunque, stanchezza a parte, ho passato una bella serata! Alla prossima, ciao

Arianna

Perché Arianna non ha letto il giallo di Camilleri?

2 Scrivete.
Complete the sentences with the appropriate names.

.... è andata da Arianna.   .... è andato subito a letto.

.... è tornata a casa alle due.   .... è andata in pizzeria con Luciana.

3 Osservate.
Read the four sentences in the box carefully, and observe the endings of the past participle. What do you notice? Make a comparison with the dialogue on page 68.

 Sono arrivato tardi.   Siamo andati al cinema.

 Sono tornata a casa alle due.   Siamo andate in pizzeria.

4 Completate.
Complete the messages of the Piccolo family with the verbs given below.

Sono .... un attimo all'ufficio postale. Torno subito.

Rosanna

X Paolo!
Le tue amiche di Firenze sono .... stamattina.
Vengono qui oggi pomeriggio.
Ciao   papà

andata
andati
arrivate
arrivato
telefonato

Antonio, ha .... il dottor Sacchi. È .... e aspetta una tua telefonata in albergo.
Rosanna

Siamo .... a giocare a tennis. Torniamo verso le otto.

Paolo e Carlo

5 **Lavorate in gruppi e riferite.**

Yesterday Luca went to Venice.
In small groups, observe
what is in his wallet and try
to narrate how he spent
the day in Venice.

6 **Scrivete e indovinate.**

On a piece of paper, write what you did last weekend and then give it to your teacher. He/she will then read some of the papers out loud. Can you guess who the author of each paper is?

Exe. 7–10
pg. 136–137

Lettura

1 **Lavorate in gruppi.**

In small groups, write and then report to the class what kind of information a short biography should have.

2 **Leggete.**

Now, read this short biography of Andrea Camilleri.

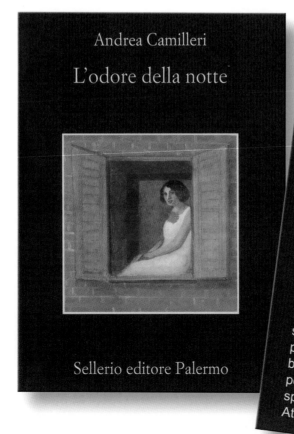

Andrea Camilleri

L'odore della notte

Sellerio editore Palermo

Andrea Camilleri è nato a Porto Empedocle (Agrigento) nel 1925. Ha cominciato a lavorare come regista teatrale nel 1942. È stato il primo a portare Beckett in Italia e ha rappresentato testi di Ionesco, Strindberg e di altri autori. È stato autore, sceneggiatore e regista di programmi culturali per la radio e la televisione. Ha insegnato al Centro Sperimentale di Cinematografia di Roma. Ha scritto poesie, racconti e romanzi storici. È famoso soprattutto per i suoi romanzi gialli con il personaggio del commissario Montalbano, conosciuto dal pubblico anche per la fortunata serie di film per la TV. È sposato, ha tre figlie e quattro nipoti. Attualmente vive a Roma.

3 Lavorate in gruppi.

In the text, highlight where this information is given:
- dov'è nato Andrea Camilleri;
- quali professioni ha svolto;
- che cosa ha scritto;
- con quale personaggio dei suoi romanzi è diventato famoso.

4 Cercate le parole.

In the text, look for the words that are similar to some words in your language.

....

....

....

....

D Sono nato nel 1935.

1 🎧 Ascoltate.

Listen and then put all the different stages of
Antonio Magrelli's life in the correct order.

	ho lavorato tantissimo
1	sono nato a Napoli
	ho finito le scuole
	sono andato in pensione
	ho lasciato il posto alle Ferrovie
	ho vissuto sempre qui
	ho chiuso la mia attività
	ho subito trovato lavoro
	non ho avuto il tempo di farmi una famiglia
	ho aperto una piccola ditta

2 Raccontate.

Using some of the expression provided below, narrate some important stages of your life.

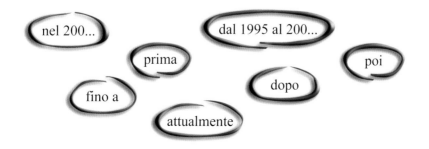

nel 200...   dal 1995 al 200...   prima   poi   dopo   fino a   attualmente

Exe. 11–12
pg. 137

E Una festa in famiglia

1 Guardate e completate le frasi.

In pairs, observe the family tree and complete the sentences with the family names provided.

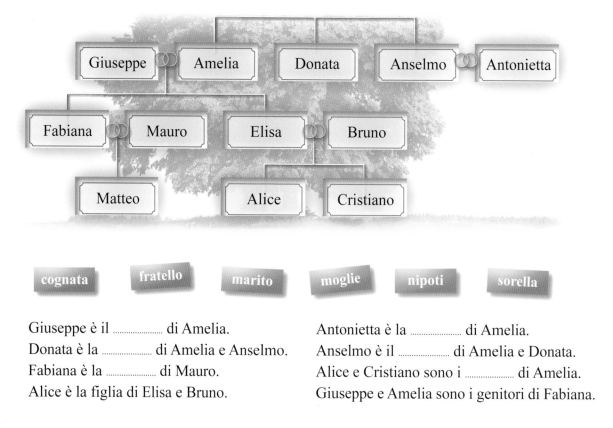

cognata   fratello   marito   moglie   nipoti   sorella

Giuseppe è il .... di Amelia.

Donata è la .... di Amelia e Anselmo.

Fabiana è la .... di Mauro.

Alice è la figlia di Elisa e Bruno.

Antonietta è la .... di Amelia.

Anselmo è il .... di Amelia e Donata.

Alice e Cristiano sono i .... di Amelia.

Giuseppe e Amelia sono i genitori di Fabiana.

2 Leggete.

Read the letter. What party is Amelia talking about?

☐ battesimo   ☐ matrimonio

☐ nozze d'oro   ☐ compleanno

Novara, 18 maggio ...

Cara Teresa,

è stata una festa meravigliosa. Sono venuti proprio tutti: le mie figlie con i mariti, tutti i miei nipoti e anche il ragazzo di mia nipote Alice. Pensa, sono venute perfino mia sorella e mia cognata Antonietta da Sassari (mio fratello purtroppo no, perché non sta ancora bene) e naturalmente anche i parenti di Giuseppe e i nostri amici di Torino. Le nostre figlie ci hanno regalato un fine settimana a Venezia e un bellissimo cofanetto d'argento con incisi i nostri nomi, le date e la frase «50 anni di amore». E tu stai meglio adesso? Spero di rivederti presto.

Un abbraccio

Amelia

Saluti anche da Giuseppe

3 **Osservate.**

Chi è venuto alla tua festa?
Sono venuti tutti: mio fratello, mia sorella, i miei nipoti, le mie figlie e i nostri amici.

When do we place the definite article in front of the possessive adjectives?

4 **Lavorate in coppia.**
In pairs, draw your family tree and describe your family.

5 **Osservate la lettera.**
Read the letter on page 72 and the e-mails on page 69 one more time.
How can you start a letter to a friend and how can you end it?

6 **Scrivete.**
Write a letter narrating an event that you have celebrated with your family
or with friends. Think also of the following celebrations.

 Carnevale   Natale    Pasqua   Capodanno

Exe. 13–18
pg. 138–139

Ascolto

1 🎧 **Ascoltate.**
Listen to the dialogue between Laura and Anna. What party are they talking about?

2 🎧 **Ascoltate e sottolineate.**
Listen to the conversation one more time, and only underline the words mentioned in the dialogue among those provided below.

Laura:
Mantova ◆ Giotto ◆ parecchie persone
sera ◆ mattina ◆ dieci minuti
inquinamento ◆ Firenze ◆ Padova

Anna:
gita ◆ famiglia ◆ amici ◆ nipoti
cucinare ◆ cena ◆ vitello ◆ agnello
lasagne ◆ dolci ◆ insieme ◆ parlare

3 🎧 **Ascoltate e mettete una crocetta.**
Listen to the dialogue between Laura and Anna one more time and tick (✓)
the correct statements.

☐ Laura ha visto la Cappella degli Scrovegni.   ☐ Anna ha passato la Pasqua in famiglia.

☐ Laura non ha prenotato la visita.   ☐ Anna non cucina molto bene.

Ricapitoliamo!

Work in pairs. Tell your partner about a beautiful excursion you went on or a special day you have recently spent with friends or family. Your partner may ask you questions to find out more about it.

Si dice così

Ask someone what he/she likes

Ti piace
    il cinema francese?
Le piacciono
    le commedie?
	Sì, moltissimo.
	Sì, abbastanza.
	No, non tanto.
	No, preferisco...

Express your preferences

Mi piace la canzone popolare.
Mi piace guardare il Festival
    in televisione.
Mi piacciono molto i cantautori.
Non mi piace Nek, preferisco Jovanotti.
Amo (tutta) la musica italiana.

Ask about what others did

Che cosa hai fatto di bello ieri?
Hai letto il giallo di Camilleri?

Narrate events

Ho incontrato Giulia.
Abbiamo pranzato insieme.
Sono tornata a casa alle due.
Siamo andate a mangiare una pizza.

Talk about oneself

Sono nato a Roma nel 1980.
Ho finito gli studi nel 2003.
Ho subito trovato lavoro.

End a letter / an e-mail

Alla prossima!
Ciao e buona settimana
Un abbraccio
Saluti (anche) da Giuseppe

That's Allegro

Grammatica

1. Il verbo *piacere* → 21

notes

Mi piace leggere.
Ti piace la musica classica?
Le piacciono i romanzi gialli?

2. Il *passato prossimo*: formazione e uso → 24, 32

The *passato prossimo* is a tense in the past.
It is formed with one of the two auxiliary verbs,
essere or **avere**, and the past participle.

and**are**	av**ere**	dorm**ire**
⇩	⇩	⇩
and**ato**	av**uto**	dorm**ito**

Passato prossimo

con *avere*		con *essere*	
ho		sono	andat**o**
hai		sei	
ha	dormi**to**	è	andat**a**
abbiamo		siamo	andat**i**
avete		siete	
hanno		sono	andat**e**

3. La preposizione *di* + l'articolo determinativo → 7

	il	l'	lo	la	i	gli	le
di	del	dell'	dello	della	dei	degli	delle

4. Aggettivi possessivi → 10

con il sostantivo al singolare		con il sostantivo al plurale	
il mi**o**	la mi**a**	i mi**ei**	le mi**e**
il tu**o**	la tu**a**	i tu**oi**	le tu**e**
il su**o**/il S**uo** amico	la su**a**/la S**ua** amica	i su**oi**/i S**uoi** parenti	le su**e**/le S**ue** colleghe
il nostr**o**	la nostr**a**	i nostr**i**	le nostr**e**
il vostr**o**	la vostr**a**	i vostr**i**	le vostr**e**
il lor**o**	la lor**o**	i lor**o**	le lor**o**

Be careful with the use of the definite article and relatives:
mia sorella (singular), but: **le mie sorelle** (plural).

A Un soggiorno a Lucca

You spend two weeks in Lucca to attend an Italian course. For the first few days, you stay at the hotel *La Luna*, and then move in with the Baldi family. During the two weeks, you will do different activities.

To learn the rules of the game, go to page 186.

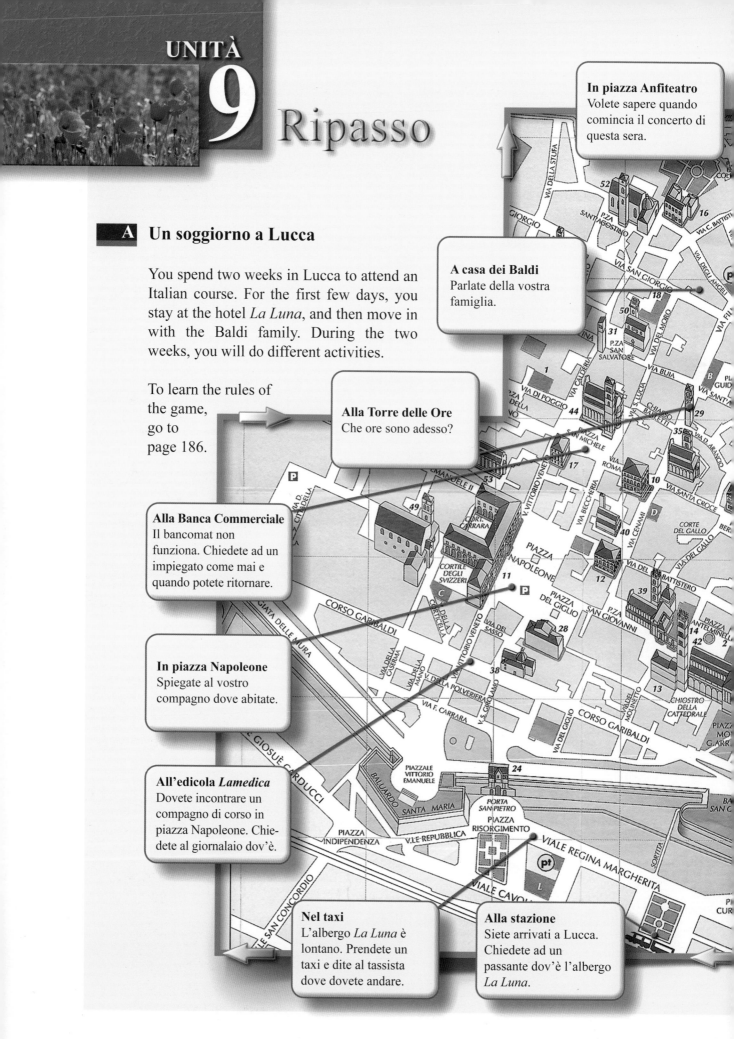

In piazza Anfiteatro
Volete sapere quando comincia il concerto di questa sera.

A casa dei Baldi
Parlate della vostra famiglia.

Alla Torre delle Ore
Che ore sono adesso?

Alla Banca Commerciale
Il bancomat non funziona. Chiedete ad un impiegato come mai e quando potete ritornare.

In piazza Napoleone
Spiegate al vostro compagno dove abitate.

All'edicola *Lamedica*
Dovete incontrare un compagno di corso in piazza Napoleone. Chiedete al giornalaio dov'è.

Nel taxi
L'albergo *La Luna* è lontano. Prendete un taxi e dite al tassista dove dovete andare.

Alla stazione
Siete arrivati a Lucca. Chiedete ad un passante dov'è l'albergo *La Luna*.

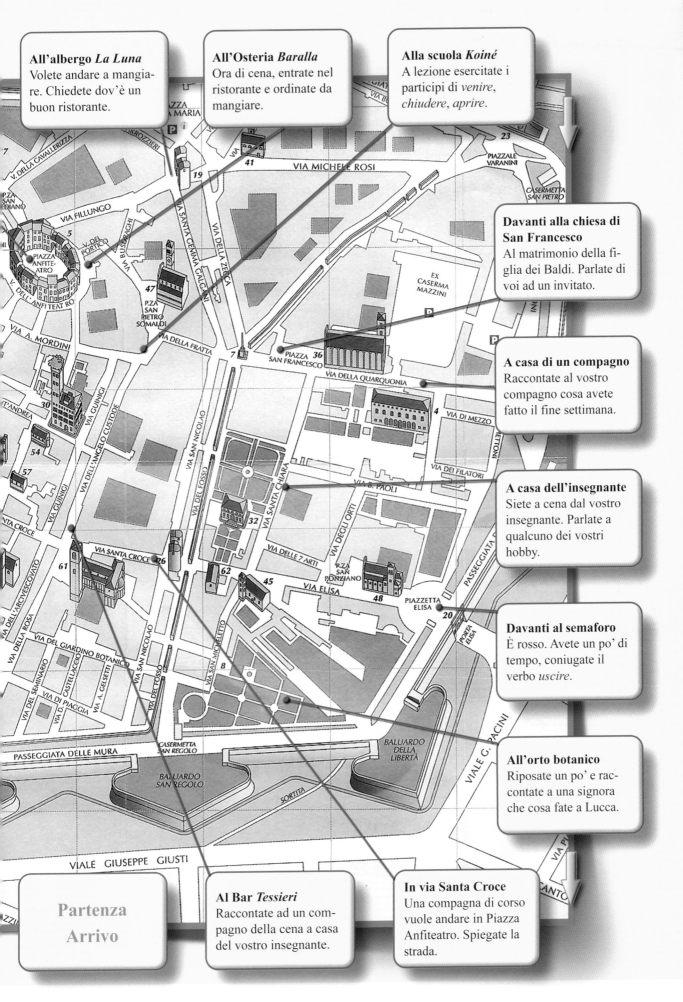

All'albergo *La Luna*
Volete andare a mangiare. Chiedete dov'è un buon ristorante.

All'Osteria *Baralla*
Ora di cena, entrate nel ristorante e ordinate da mangiare.

Alla scuola *Koiné*
A lezione esercitate i participi di *venire*, *chiudere*, *aprire*.

Davanti alla chiesa di San Francesco
Al matrimonio della figlia dei Baldi. Parlate di voi ad un invitato.

A casa di un compagno
Raccontate al vostro compagno cosa avete fatto il fine settimana.

A casa dell'insegnante
Siete a cena dal vostro insegnante. Parlate a qualcuno dei vostri hobby.

Davanti al semaforo
È rosso. Avete un po' di tempo, coniugate il verbo *uscire*.

All'orto botanico
Riposate un po' e raccontate a una signora che cosa fate a Lucca.

Partenza

Arrivo

Al Bar *Tessieri*
Raccontate ad un compagno della cena a casa del vostro insegnante.

In via Santa Croce
Una compagna di corso vuole andare in Piazza Anfiteatro. Spiegate la strada.

B Scrivere in italiano? Ma sì!

Dear students,
Today we are going to try to write in Italian. When you speak, you certainly need a little time to put words together and to build a sentence. Something similar also happens when we have to write. The advantage however is that we have more time to think of the right word, the right verb, etc. Now, with the help of the following instructions, try to write a text in Italian.

1 Per cominciare...

... think about what kind of text you want to write and what you want to say. One idea would be to write a letter or an autobiography. Write down your first notes.

2 Le parole giuste

Do you already have an idea of what to write about? Great! Now, write the words, the expressions, and the sentences that you consider necessary to complete your task. Start with words you remember; you can look up the ones you don't remember:
● in the textbook,
● in the dictionary,
● or ask a classmate or your teacher for help.

3 Un modello c'è già

You may certainly make your task easier by choosing a text similar to the two examples provided in the last unit, i.e. the autobiography (pg. 70-71) or the letter (pg. 72)

To start your letter...

Parma, 10 gennaio 20...

For your short autobiography, look for useful words...

Sono nato/a nel 19...

... and to end the letter.

4 E ora scrivete!

Now, the time has come to write your own text. Try to arrange all your notes and create short, simple sentences. Avoid translating from your own language word by word and, at this stage, to use the dictionary or sentences from the textbook. Ask your teacher for help if you need any.

La famiglia

• Anche per gli italiani, la famiglia numerosa è un ricordo dei tempi passati. Gli italiani fanno pochi figli rispetto agli altri europei, con percentuali un po' più alte nelle regioni del Sud rispetto a quelle del Nord. Nonostante questo recente fenomeno, la famiglia in Italia continua a conservare caratteristiche del passato e quindi spesso, oltre ai genitori, sono i nonni o gli zii ad occuparsi dei figli, o meglio, spesso dell'unico/a figlio/a.

• In Italia, sono sempre più numerosi i giovani che preferiscono rimanere a casa dei loro genitori; vanno via solo quando decidono di sposarsi e quindi di creare una loro famiglia. Questo non soltanto per motivi economici, ma anche perché i giovani non vogliono vivere senza le comodità e le cure della loro *mamma*.

A proposito, dovete sapere che in Italia si usa soprattutto il termine *papà* ma che esiste anche *babbo*, che si usa soprattutto in Toscana.

Le feste di famiglia

• Gli italiani festeggiano di solito le feste in compagnia dei *parenti* o/e degli amici più stretti. In alcune zone dell'Italia, soprattutto del Sud, festeggiano anche l'onomastico. In occasione del *battesimo*, della *comunione*, della *cresima* e del *matrimonio* gli invitati ricevono una *bomboniera* e dei *confetti*. Questi ultimi sono delle caramelle tradizionali, di forma ovale e sono di diverso colore a seconda dell'occasione.

Orari di apertura

• In Italia, molti negozi rimangono chiusi dalle 12.30/13.00 alle 15.30/16.00, orario di chiusura che può variare da regione a regione. Tuttavia, ci sono sempre più negozi che fanno orario continuato, soprattutto supermercati e grandi magazzini. Il sabato i negozi rimangono aperti fino a sera e in molte città e centri turistici i negozi sono aperti anche la domenica.

• In Italia, da anni ormai, esistono grandi centri commerciali fuori città che restano aperti fino alle 22.00 e dove i clienti possono trovare di tutto. Naturalmente, questo ha creato dei problemi ai piccoli negozi di città.

Tempo libero

• Gli italiani, nel loro tempo libero, amano fare sport; vanno al cinema o in discoteca; vanno a cena, al ristorante o in pizzeria, con gli amici e la domenica organizzano, spesso, una *gita* o un *picnic* al mare o in montagna. Il giorno tradizionale che apre la stagione dei picnic è, in primavera, la *Pasquetta* (il primo giorno dopo la Pasqua).

Ancora oggi i giovani, ma anche gli anziani, hanno come

punto d'incontro la *piazza* o il *corso*, dove possono passeggiare, mangiare un gelato o chiacchierare. Ovviamente, parte del tempo libero gli italiani lo passano in casa guardando la TV.

see glossary on page 180

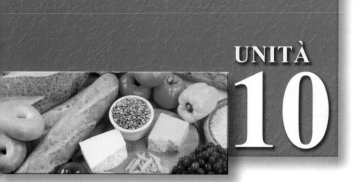

Li vuole provare?

Osservate.
Look at the photograph and the illustrations below.

| maglietta | cintura | orologio | profumo | CD | portafogli |

In your opinion, what is in the bags? What did he buy and what did she buy?
What did you buy recently?

A Carina la giacca beige!

1 **Leggete e abbinate.**

Read the descriptions of the pictures and match the clothing items with the images. Then, compare your answers with your partner's.

Carina la giacca beige!

Che bello il maglione beige!

Per lui (A) **maglione** beige di lana, (B) **camicia** azzurra di cotone, (C) **cravatta** blu, (D) **pantaloni** blu, (E) **scarpe** marrone di pelle.

Per lei (A) **gonna** nera, (B) **giacca** beige e (C) **maglietta** bianca, (D) **foulard** di seta a quadri, (E) **borsa**, (F) **stivali** e (G) **cintura** beige.

Tell your partners how you feel about one or two clothing items you like.

2 **Osservate.**

Read the following sentences carefully.

Che bello il maglione	bianco!
	beige!
Carina la giacca	bianca!
	beige!
Belli gli stivali	neri!
	beige!

What do you notice? Try to look for other invariable adjectives such as *beige* in the previous exercise.

3 **Guardate e raccontate.**

Look at the colours. What are your favourite colours?

ESEMPIO

Il mio colore preferito è l'azzurro.
Per i vestiti preferisco il bianco e il beige.
Il viola invece non mi piace proprio.

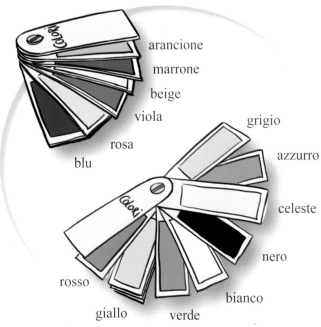

arancione
marrone
beige
viola
rosa
blu
grigio
azzurro
celeste
nero
bianco
rosso
giallo
verde

4 In classe

Take turns to describe what one of your classmates is wearing without mentioning his/her name. Other students will have to guess the student based on the description of his/her clothing.

in tinta unita

a quadri

a righe

a fiori

ESEMPIO Porta un paio di pantaloni neri sportivi e una camicia a quadri.

 di cotone    di seta

di lana   di pelle

comodo   classico

sportivo   elegante

5 Lavorate in coppia.

Imagine you have to take one of those trips indicated below. Make a list of the clothing you will pack and read it to one of your classmates. He/she will have to guess what kind of trip you are taking.

un breve viaggio di lavoro ◆ un fine settimana in campagna o al mare
un paio di giorni a Roma ◆ un matrimonio in un'altra città

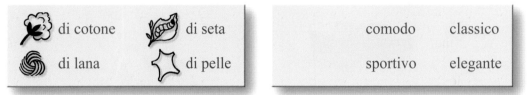

Exe. 1–4
pg. 140–141

completo gonna e giacca
completo pantaloni

vestito / abito

costume da bagno

scarpe da ginnastica

Ascolto

1 Ascoltate e discutete.

Listen to the dialogue and, in groups, try to understand who is talking and what they are talking about.

2 Ascoltate e mettete una crocetta.

Listen to the conversation one more time, and tick (✓) the correct statement.

1. Le due persone sono a	☐ Roma		☐ Verona
2. Il ragazzo vuole comprare	☐ una giacca		☐ un paio di jeans
3. Vuole un capo	☐ elegante		☐ sportivo
4. Porta Portese è il nome	☐ di un negozio		☐ di un mercato

3 Rispondete.

Listen to the dialogue one more time and answer the following questions.

1. Quali altri capi d'abbigliamento nominano le due persone?
2. In che giorno della settimana possono fare spese a Porta Portese?
3. Dove si trova il negozio dove le due persone vogliono andare?

B Che taglia porta?

1 **Ascoltate.**
Listen to the dialogue.

- Buongiorno!
○ Buongiorno, signora.
- Senta, vorrei vedere i pantaloni grigi che sono in vetrina.
○ Sì, certo... ecco.
- Mmh... sono carini. Però questo grigio... veramente non mi piace molto. Ci sono anche in nero?
○ Sì. Li vuole provare?
- Sì.
○ Che taglia porta?
- La 42.

○ Allora, come vanno?
- Non sono un po' stretti?

○ No, non sono stretti... Questo è il modello, signora...
- Dice?
○ Sì, vanno bene proprio così...
- Mah, non sono molto convinta. Eventualmente li posso cambiare?
○ Sì, signora, non c'è problema.
- Beh, allora li prendo. Ah, senta, mi fa vedere anche una maglietta beige?
○ Come no? Questa Le piace?
- Sì, la posso provare?
○ Certo.

2 **Completate.**
Complete the sentences.

1. La cliente ha visto in vetrina ....
2. La cliente porta .... 42.
3. La cliente prova ....
4. Secondo la cliente i pantaloni sono ....

3 **Prendete appunti.**
Read the conversation and then write down, in the boxes below, the phrases that could be useful when you go shopping for clothes.

Chiedere un capo di vestiario...	... e rispondere.
....	....
....	....
....	....
....	....

4 **Fate voi il cliente!**
Imagine you are in a clothes shop. You are the customer asking to see a clothing item and the teacher is the shop assistant.

ESEMPIO   - Vorrei vedere i pantaloni grigi che sono in vetrina.
          ○ Certo!

5 Lavorate in coppia.

Observe the picture and complete the missing quotes with the help of the adjectives provided.

lungo   piccolo   grande

stretto   largo   corto

Come va la camicia?
Come vanno i pantaloni?

Come va la maglietta?
Come va la gonna?

6 Completate.

Fill in the missing verb forms and complete the sentences.

	dire	volere
io	dico	voglio
tu	dici	vuoi
lui, lei, Lei	....	....
noi	diciamo	vogliamo
voi	dite	volete
loro	dicono	vogliono

Ecco	il completo.	Lo	
	la maglietta.	....	vuole provare?
	i pantaloni.	....	
	le scarpe.	Le	

7 Completate.

Complete the following sentences with the direct object pronouns (lo, la, li, le).

1. Questo vestito è proprio bello. .... posso provare anche in blu?

2. Ecco gli stivali. .... vuole provare?

3. I pantaloni sono un po' corti. .... potete allungare un pochino?

4. Questa giacca mi sta bene. .... prendo.

5. Le scarpe sono un po' grandi. .... posso provare in un numero più piccolo?

6. A mio marito questa cravatta non piace. .... posso cambiare?

8 Fate conversazione.

Work in pairs. You have seen a clothing item in a shop window that you want to see better. There is a problem however: neither the color nor the size are right for you. Therefore, try to find something else that you like with the help of the shop assistant.

Exe. 5–10
pg. 141–143

C Fare shopping a Bologna

1 📖 **Leggete e sottolineate.**
Read the text and underline the names of the shops mentioned.

FARE SHOPPING A BOLOGNA

A Bologna il «paradiso dello shopping» è all'ombra delle Due Torri, dove in pochi metri potete trovare di tutto: dalla moda ai gioielli, dalle delikatessen gastronomiche all'arredamento.

Il punto di riferimento per la moda griffata è la Galleria Cavour con i suoi bellissimi negozi d'abbigliamento e di scarpe. Ma l'area dello shopping più caratteristica è quella dell'antico Mercato di Mezzo, vicino a piazza Maggiore. Qui ci sono le bancarelle di frutta e verdura, il mercato del pesce e le botteghe storiche come l'*Antica Salsamenteria* dei *Fratelli Tamburini*, la salumeria aperta nel 1880, con gli squisiti salumi emiliani, dal prosciutto alla mortadella. Lì accanto c'è *Paolo Atti & Figli*, il panificio-pasticceria che da più di 120 anni è sinonimo di buon pane, pasta fresca e dolci di gran qualità e, infine, l'enoteca *Gilberto*, dal 1920 punto di riferimento per gli acquisti di vino e liquori di pregio.

adattato: *Bell'Italia*, n. 190, (supplemento)

2 Completate.
In each box, write down the products that you can buy in the stores mentioned.

nel negozio di frutta e verdura	in salumeria	all'enoteca
arance *pomodori*	....	....

al panificio/in panetteria	in pescheria	in macelleria
....	....	*agnello* ....

3 Lavorate in gruppi.
In groups of three, talk about your habits when you go grocery shopping. What do you buy at the supermarket, at the open-air market or in other specialized shops?

→ Exe. 11 pg. 143

D A chi tocca?

1 🎧 **Ascoltate.**
Listen to the dialogue. What
products are mentioned?

- A chi tocca?
- ○ Tocca a me.
- Mi dica, signora!
- ○ Vorrei un chilo di pomodori...
- Maturi o da insalata?
- ○ Da insalata, per piacere.
- Un chilo, vero?
- ○ Sì, e poi vorrei dell'uva...
- Quanta?
- ○ Mezzo chilo.
- Ecco. Altro?
- ○ Sì, mi dia anche dei peperoni...
- Quanti?
- ○ Mah, sei. Ah, ha già i funghi porcini!

- Sì, sono arrivati stamattina.
- ○ Quanto costano?
- 3,60 euro all'etto, sono i primi...
- ○ Allora mi dia anche tre etti di porcini...
- Ecco i porcini. Altro?
- ○ Basta così, grazie... Ah, no, mi scusi,
  vorrei anche un mazzetto di basilico.

2 **Completate.**
Read the dialogue and then fill in
the box with the customer's answers
to the sales person's questions.

A chi tocca?	....
Mi dica!	....
Altro?	....
	....

3 **Completate.**
Complete the sentences with the weight measures.

	del basilico.			d'uva.
Vorrei	dell'uva.	Vorrei	....	di pomodori.
Mi dia	dei pomodori.	Mi dia	due chili di mele.	
	delle mele.		....	di funghi.

Now compare the sentences you see on the left with the ones on the right.
What is the difference between them?

4 **Lavorate in gruppi.**
Usually, everybody makes *minestrone* in a
different way, according to his/her own taste.
In groups of three, write your own *minestrone*
recipe with ingredients and measurements. Ask
your teacher if you don't know all the words. At the
end, each group reads their own recipes to the class.

ESEMPIO Per il nostro minestrone dobbiamo
comprare...

That's Allegro

Completate.
Complete the shop owners' suggestions.

> Signora bella, stamattina
> ho .... seppie eccezionali.
> Le vuole? O preferisce ....
> pesce spada?

> Oggi ho .... porcini
> e .... uva di prima qualità.
> E anche .... radicchio di
> Treviso freschissimo!

> Stamattina è arrivato
> .... pecorino buonissimo.
> Lo vuole provare?

6 🎧 **Ascoltate e mettete una crocetta.**

Listen to the dialogue that takes place in a grocery shop. Tick (✓) the products the customer buys.

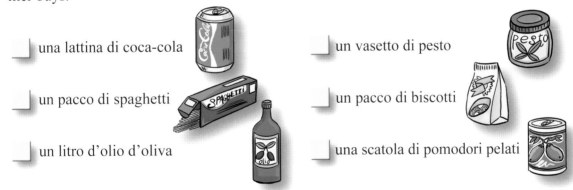

- una lattina di coca-cola
- un pacco di spaghetti
- un litro d'olio d'oliva
- un vasetto di pesto
- un pacco di biscotti
- una scatola di pomodori pelati

Cosa chiede ancora la cliente?

7 **Lavorate in gruppi.**

You want to organize an Italian dinner. Everybody brings something. Write the grocery list and quantities. Tell what shops you are going to, who is going to one shop or another, who buys what.

Exe. 12–17
pg. 143–145

Ricapitoliamo!

Today is your lucky day. You have 1,000 euros you can spend in five shops of your choice. Tell one of your classmates what shops you are going to and what you intend to buy. Be careful: the offer is good for today only!

1 centesimo   2 centesimi   5 centesimi

10 centesimi   20 centesimi   50 centesimi

1 euro   2 euro

Le monete italiane

1 centesimo: Castel del Monte, castello di Federico II, 1240, Puglia

2 centesimi: Mole Antonelliana di Alessandro Antonelli, 1863, Torino

5 centesimi: Colosseo, iniziato sotto l'imperatore Vespasiano nel 75 d. C., Roma

10 centesimi: Venere, dal quadro «La nascita di Venere» di Sandro Botticelli, 1484 – 86, Firenze

20 centesimi: «Forme uniche nella continuità dello spazio», scultura di Umberto Boccioni, 1913, Galleria d'Arte Moderna, Milano

50 centesimi: statua dell'imperatore romano Marco Aurelio, Piazza del Campidoglio, Roma

1 Euro: «L'uomo vitruviano», disegno di Leonardo da Vinci, 1490, Galleria dell'Accademia, Venezia

2 Euro: ritratto del poeta Dante Alighieri dall'affresco «Parnaso» di Raffaello, Città del Vaticano

Si dice così

Ask for something in a store

Vorrei vedere la giacca che è in vetrina.
Mi fa vedere anche una maglietta beige?
Vorrei un chilo di pomodori.
Mi dia tre etti di porcini.

Ask for information about some products

Questi pantaloni ci sono anche in nero?
Li posso cambiare?
Quanto costano?

Ask if the customer would like something else

Altro?   Sì, mi dia anche...
Basta così, grazie.

Express uncertainty on an item

Non sono un po' stretti?
Mah, non sono molto convinta.
Dice?

Convince or reassure an undecided customer

Vanno bene proprio così.
Questo è il modello, signora.
Non c'è problema.

Express a positive opinion on a clothing item

Che bello il maglione beige!
Carina la gonna nera!

10

1. Uso delle preposizioni *a*, *di*, *da* ➔ 29   notes

maglione **di** lana
camicia **a** quadri
pomodori **da** insalata
camera **da** letto

2. I verbi *volere* e *dire* ➔ 22, 31, 32

	volere	dire
io	voglio	dico
tu	vuoi	dici
lui, lei, Lei	vuole	dice
noi	vogliamo	diciamo
voi	volete	dite
loro	vogliono	dicono

3. La preposizione *di* con termini di quantità, misura e peso ➔ 9

un chilo di zucchini   **una scatola di** pelati
due etti di funghi   **una bottiglia di** vino
un litro di olio   **un pacco di** spaghetti

4. L'articolo partitivo ➔ 8

Vorrei	**del** formaggio.
	della mortadella.
	dei pomodori.
	delle mele.

5. Aggettivi di colore ➔ 13

un vestito giall**o**   dei pantaloni bianch**i**
una giacca grig**ia**   delle scarpe ner**e**

But: una gonna blu, un completo rosa

6. I pronomi personali come oggetto (pronomi diretti): *lo, la, li, le* ➔ 16

Il **completo** grigio è molto bello. **Lo** provo.
La **giacca** è troppo cara. Non **la** prendo.
I **pantaloni** sono stretti. **Li** posso cambiare?
Carine queste **scarpe**. **Le** posso provare?

UNITÀ 11
Cosa fate in vacanza?

Guardate le foto.
Look at the photographs
and read the definitions.
What else can you think of?

- il mare
- il bel tempo
- le città d'arte
- la vegetazione mediterranea
- la buona cucina
- i siti archeologici
- la mentalità della gente
- ....
- ....

What about you? What
do you like about Italy?

A In vacanza mi rilasso...

1 Guardate la cartina e raccontate.

Observe the map of Italy inside the book cover. Based
on the example, answer the following: Siete già stati
in Italia? Dove? Dove volete andare?

in Umbria / nel Veneto   a Capri

sulle Alpi

al / sul Lago di Garda

ESEMPIO   Sono stato/stata...
           Vorrei andare...

2 Leggete e rispondete.

Read the plans that Giovanna and Andrea are making for their vacation. What kind of vacation have they decided to take?

Giovanna Cardini,
56 anni, traduttrice

▮ Quest'anno vado come sempre nella mia casa in Puglia. Mentre gli altri si divertono a fare mille attività diverse, io in vacanza non faccio niente di speciale. Mi sveglio tardi la mattina e resto ancora un po' a letto a leggere, poi mi alzo, faccio colazione e vado in pineta. Passeggio, mi rilasso e mi godo la natura. Mio marito non viene mai con me perché dice che si annoia. Io invece amo stare da sola...

Andrea Romanelli,
32 anni, libero professionista

▮ Io in vacanza non mi riposo mai, amo le vacanze spericolate e così anche quest'anno parto per un'estate movimentata. Vado prima nel Trentino, sulle Dolomiti, a fare un corso di paracadutismo e poi in Sardegna in barca a vela...

vacanza sportiva   vacanza rilassante

vacanza studio   vacanza culturale

E voi, che tipo di vacanza preferite?

3 Completate.

Fill in the missing verb form and complete the sentences.

divertirsi	
io	mi diverto
tu	ti diverti
lui, lei, Lei	si diverte
noi	ci divertiamo
voi	vi divertite
loro	....

Cosa fai in vacanza?	
.... faccio .... di speciale. Mi alzo tardi, leggo, mi godo la natura.	Amo le vacanze attive, faccio molto sport, ... mi riposo ....

What do you notice about the use of the negative form?

4 Raccontate.

In pairs, tell each other what, in your opinion, an ideal vacation day should be like.

ESEMPIO   In vacanza trascorro così la mia giornata ideale: mi alzo tardi, ...

5 Completate.

Complete the text with the verbs provided.

godersi ◆ alzarsi ◆ divertirsi ◆ riposarsi

Angelica Parini, 43 anni, segretaria, mamma di tre figli.

D'estate io .... le vacanze con la famiglia. Quest'anno siamo andati in campeggio sulla Costa Amalfitana. Generalmente noi in vacanza .... tardi, facciamo colazione e andiamo alla spiaggia. Mentre i bambini .... con i loro amici io .... sotto l'ombrellone. Mio marito invece legge o fa windsurf.

6 Completate il questionario.

Complete the questionnaire on your holiday habits.

	mai	a volte	sempre
Che tipo di vacanze fate?			
vacanze di solo mare	☐	☐	☐
vacanze in montagna	☐	☐	☐
viaggi organizzati	☐	☐	☐
viaggi in paesi lontani	☐	☐	☐
altro	☐	☐	☐

	mai	a volte	sempre
Come viaggiate?			
in aereo	☐	☐	☐
in macchina	☐	☐	☐
in nave	☐	☐	☐
in camper	☐	☐	☐
altro	☐	☐	☐

	mai	a volte	sempre
Dove vi fermate?			
in albergo	☐	☐	☐
in campeggio	☐	☐	☐
nei villaggi turistici	☐	☐	☐
nei centri di salute e benessere	☐	☐	☐
altro	☐	☐	☐

	mai	a volte	sempre
A quali attività vi dedicate?			
fare escursioni a piedi	☐	☐	☐
girare per negozi	☐	☐	☐
prendere il sole	☐	☐	☐
visitare i musei	☐	☐	☐
altro	☐	☐	☐

7 Raccontate.

In pairs, based on the results of the questionnaire, discuss what you do or don't do during a vacation.

> ESEMPIO Non faccio mai viaggi organizzati.
> Vado sempre in campeggio.

 ### 8 Fate conversazione.

Work in small groups. Say where and how you want to spend your next vacation.

Exe. 1–6
pg. 146–147

That's Allegro

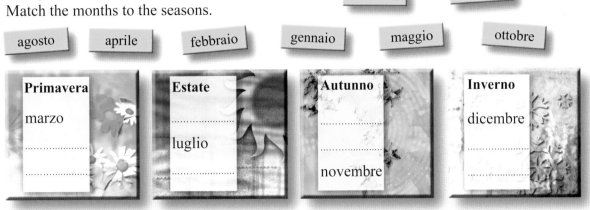

B Vorrei un'informazione.

1 Completate.
Match the months to the seasons.

settembre   giugno

agosto   aprile   febbraio   gennaio   maggio   ottobre

Primavera	**Estate**	**Autunno**	**Inverno**
marzo	....	....	dicembre
....	luglio	....	....
....		novembre	

2 🎧 Ascoltate.
Listen to the dialogue that takes place at a travel agency in Naples.

- ● Buongiorno.
- ○ Buongiorno. Senta, vorrei un'informazione.
- ● Sì, mi dica.
- ○ Ho sentito che la settimana prossima a Ischia c'è una festa...
- ● Sì, la Festa di Sant'Anna...
- ○ E quando è?
- ● Il ventisei luglio.
- ○ Che cosa c'è da vedere?
- ● Dunque, la festa si svolge sul mare. C'è una sfilata di barche decorate che vanno al Castello Aragonese e c'è un premio per la barca più bella. E tutto finisce con i fuochi d'artificio sul mare.
- ○ Ah, bello! E che collegamenti ci sono?
- ● Dunque, può prendere il traghetto o l'aliscafo. Il traghetto impiega circa un'ora e mezza, l'aliscafo quaranta minuti. Ecco gli orari.

...

- ○ Ah, però la sera tardi non ci sono traghetti, forse conviene rimanere lì a dormire. Può prenotare una camera in una pensione non troppo cara?
- ● Beh, possiamo provare, oggi è il venti luglio, forse troviamo ancora qualcosa...

Con quali mezzi di trasporto il turista può raggiungere Ischia?
Come si svolge la festa di Sant'Anna?

3 Osservate.
How do we write the date in Italian?

Quando è la festa?	**Che giorno è oggi?**
Il ventisei luglio.	Il primo luglio. L'undici luglio. Il venti luglio.

Cosa fate in vacanza?

11

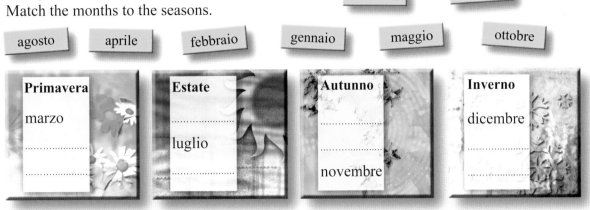

4 **Indicate la data.**
Do you know the dates of the following holidays?

Epifania

Festa dei Lavoratori

San Valentino

Ferragosto

Festa della Donna

San Silvestro

5 **Ascoltate e completate.**
Listen and write the dates
of the following events

Sant'Anna (Jelsi)

Regata Storica (Venezia)

La processione dei serpari (Cocullo)

Calendimaggio (Assisi)

Festa dei Ceri (Gubbio)

Palio di Siena

6 **Prendete appunti.**
Read the dialogue on page 93
and write down in the box
the phrases that are useful when
you ask for information.

chiedere informazioni

7 **Chiedete informazioni.**
Choose one of the celebrations mentioned above and ask some questions on the program, the place, how to get there, etc. Ask your teacher about all the necessary information.

8 **Lavorate in coppia.**
Have you taken part in some celebration or special event during your vacation?
Narrate your experience.

Exe. 7–9
pg. 148–149

That's Allegro

C Una vacanza diversa

1 **Leggete.**
Read the advertisement.

 TRENTINO

Si, vorrei conoscere le possibilità offerte dall'agriturismo nel Trentino. Vi prego di inviarmi gratuitamente un
opuscolo informativo su come trascorrere una vacanza in
un tipico maso trentino.

Nome ....

Indirizzo ....

....

Per maggiori informazioni inviate questo coupon a:
Azienda per la Promozione Turistica del Trentino
Via Romagnosi, 11 – 38100 Trento
oppure telefonate semplicemente allo 0461 839000
Informazioni anche in internet: www.trentino.to,
e-mail: info@trentino.to

2 Scrivete.
Which city would you like to find out more information
about? Write a brief note to the "Azienda di Promozione
Turistica" to request some brochures of the region or city
you would like to visit.

Spettabile APT di ...,

Egregi signori, ...

3 Completate.
Complete with the missing adverbs.

gratuito	....
semplice	....
naturale	naturalmente

Vi prego di inviarmi **gratuitamente** un opuscolo informativo.
L'opuscolo è **gratuito**.

Compare the two sentences: what do you notice?

4 Leggete e completate.
Read the postcard and complete the text with the missing adverbs.

affettuosamente ◆ completamente ◆ esattamente ◆ finalmente
naturalmente ◆ particolarmente

Caro Mario, cara Rossella,
quest'anno _____ Paola è venuta con me
in montagna, invece di passare tutta l'estate in
spiaggia. _____ fare escursioni a piedi
con Paola non è _____ rilassante perché
lei si lamenta in continuazione: il sentiero è
troppo ripido, le pause sono troppo brevi e così
via. Ma al mare io faccio _____ lo stesso,
quindi... la posso capire!
Vi saluto _____
Luca

Ragazzi, Luca è _____ pazzo,
camminiamo 10 ore al giorno e non
ci fermiamo mai.
Voglio tornare a casa! Baci Paola

Rossella e Mario Peroni

via Libertà, 155

90139 Palermo

Exe. 10–11
pg. 149

D C'è un sole stupendo.

1 🎧 **Ascoltate.**

Listen to the conversation between Alessandro and his father.

- ● Pronto?
- ○ Ciao, papà. Sono io.
- ● Ehi, ciao, Alessandro. Dove siete?
- ○ Adesso siamo a Positano.
- ● Ah, bello! E quando siete arrivati?
- ○ Siamo arrivati... due giorni fa.
- ● E il tempo com'è?
- ○ Fantastico! C'è un sole stupendo, fa proprio caldo...
- ● Beati voi. Qui invece fa brutto tempo, piove già da due giorni... e senti, ma quando tornate?
- ○ Mah, penso fra una settimana. Vogliamo fare ancora qualche gita alle isole ... e poi vogliamo andare a Pompei e sul Vesuvio.
- ● Bravi, bravi... allora aspetta che adesso ti passo la mamma...

Com'è il tempo a Positano?

2 **Leggete e completate.**

Read the following expressions to describe the weather and complete the ones missing.

☀	C'è il sole.		....		Fa freddo.
	C'è vento.		Nevica.		....
◻	C'è nebbia.		È nuvoloso.		

Fa bel tempo da voi adesso?
Che tempo preferite e perché?

3 **Raccontate.**

Work in groups. Take turns telling the others what you do on vacation when the weather is bad.

> ESEMPIO   Cosa fai al mare / in montagna quando piove / nevica?

4 **Completate.**

Complete the sentences.

Siamo arrivati due giorni ....
Piove .... due giorni.
Torniamo .... una settimana.

How do you translate these sentences in your own language?

Agosto

1	....
2	....
3	....
4	....
5	....
⑥	....
7	....
8	....
9	....
10	....

5 Lavorate in coppia.

You are on vacation in Sorrento. On your calendar, take notes about when you arrived, what you have done already, what you still plan to do and when you are leaving. Here are some suggestions:

arrivo ◆ gita a Capri ◆ visita agli Scavi di Pompei
escursione a Paestum ◆ gita sul Vesuvio ◆ partenza

On August 6, discuss with another tourist about your vacation.

ESEMPIO Da quanto tempo è qui?
È già stato a Pompei?
Che cosa vuole visitare ancora?

6 Scrivete.

Think of the city or region where you have spent your last vacation. Imagine you are there again and write a postcard to one of your classmates.

Exe. 12–16
pg. 150–151

Ascolto

1 🎧 Ascoltate e prendete appunti.

Listen to the 60's song "Sapore di sale", by Gino Paoli.
Write down the words you understand

2 🎧 Ascoltate e mettete una crocetta.

Listen to the song one more time, and tick (✓) the right statements.

La canzone parla di una vacanza

☐ al mare   ☐ d'estate   ☐ di due amici

☐ in montagna   ☐ d'inverno   ☐ di una coppia innamorata

3 🎧 Ascoltate e completate.

Listen to the song's chorus only and complete with the missing words.

> Sapore di ....,
> sapore di ....,
> un gusto ....
> di cose ....

Now, think of your last vacation and complete the song's chorus with your "own" words.

> Sapore di ....,
> sapore di ....,
> un gusto ....
> di cose ....

Ricapitoliamo!

Work in groups of three. You want to spend a vacation in Italy together. Decide the date, the duration and destination of your trip and also think about how to get there. Talk about the things you want and do not want to do. Make a travel plan and indicate the activities for every single day. Afterwards, report to the class.

Viaggio a ....

dal .... **al** ....

———— PROGRAMMA ————

Partenza ....

Punto d'incontro ....

Itinerario ....

....

....

....

....

....

Escursioni ....

....

Attività sportive ....

Ritorno ....

Si dice così

Tell what you like to do...	**Ask for information about tourist offers**
Mi diverto a / Amo — fare escursioni.	Vorrei un'informazione.
Mi godo / Amo — la natura.	Quando è la festa?
	Che cosa c'è da vedere?
... and don't like to do	Che collegamenti ci sono?
Mi annoio a / Non mi piace — stare in spiaggia.	Può prenotare una camera?
	Vorrei conoscere le possibilità offerte dall'agriturismo nel Trentino.
	Vi prego di inviarmi un opuscolo.

Tell what you like to do...

Mi diverto a
Amo   fare escursioni.

Mi godo
Amo   la natura.

... and don't like to do

Mi annoio a
Non mi piace   stare in spiaggia.

Talk about a typical day

Mi sveglio tardi.
Mi alzo...
Mi rilasso.
Non faccio niente di speciale.
Passeggio.

Ask for information about tourist offers

Vorrei un'informazione.
Quando è la festa?
Che cosa c'è da vedere?
Che collegamenti ci sono?
Può prenotare una camera?
Vorrei conoscere le possibilità offerte
  dall'agriturismo nel Trentino.
Vi prego di inviarmi un opuscolo.

Talk about the weather

Com'è il tempo?
Che tempo fa?

Nevica.
Piove.
Fa brutto tempo.
Fa freddo.
È nuvoloso.
C'è nebbia.
C'è vento.
C'è un sole stupendo.
Fa proprio caldo.

That's Allegro

1. Le preposizioni *a*, *in*, *su*: indicatori di luogo → 27

notes

Quest'anno andiamo	**in** Italia. **in** Umbria. **in** Sicilia.
Vorrei andare	**nel** Veneto. **nelle** Marche.
Siete già stati	**a** Venezia? **a** Capri? **al** lago di Como?
Passiamo le vacanze	**sulle** Dolomiti. **sul** lago di Garda.

2. Verbi riflessivi: presente indicativo → 23

	divertirsi
io	mi diverto
tu	ti diverti
lui, lei, Lei	si diverte
noi	ci divertiamo
voi	vi divertite
loro	si div<u>e</u>rtono

3. Doppia negazione → 26

Oggi **non** faccio **niente** di speciale.

Mio marito **non** viene **mai** con me.

4. Indicatori di tempo (*da*, *fra* e *fa*) → 28

Piove **da** due giorni.

Torniamo **fra** una settimana.

Siamo arrivati due giorni **fa**.

5. L'avverbio → 14

Fa **proprio** caldo.

In vacanza ci alziamo **tardi**.

Io faccio **esattamente** lo stesso.

Cammino troppo **velocemente**.

A Parlare, parlare...

Dear students,

You shouldn't be afraid to make mistakes when you speak with an Italian. Italians love when someone else speaks their language and they always try to keep the conversation alive. Also, remember to use short sentences and the vocabulary and the expressions that you know.

1 Piano, per favore!

During a conversation in Italian, what can you say if you do not understand something, a word or a sentence?

....

....

....

2 Ditelo con altre parole.

Very often, you know what you want to say, but you cannot remember a word: no problem! Try to explain yourself in other ways, with other words.

Now, for practice, complete the sentences here on the side.

un posto dove *comprare il pane*

una cosa per ....

un tipo di ....

3 In poche parole

Now you are capable of understanding fairly complex Italian expressions. It is still, however, difficult for you to create long sentences. Therefore, try to simplify what an Italian generally expresses in a more complex way. Try with this text.

"Le nostre vacanze sono state meravigliose! Non abbiamo fatto niente di eccezionale, ma ci siamo permessi di cenare più volte al ristorante, abbiamo passato tanto tempo al mare ed io ce l'ho fatta finalmente a finire il mio libro."

....

....

....

....

4 Improvvisate!

In small groups, write on a piece of paper some notes related to common situations in every day life, as in the example here on the side. Then switch papers, and decide on the roles you want to play and "act out" the daily situations you wrote on the papers.

Con un'amica / un amico in giro a fare spese

In ufficio al ritorno dalle ferie

Al mercato

B Vacanze in Italia

1 Buon viaggio e buon divertimento!

To learn the rules of the game, go to page 186.

⑩ A **Matera** fate una visita ai «Sassi» e chiedete informazioni sulle feste e sulle sagre della zona.

⑪ Serata di giochi al villaggio turistico di **Tropea**. Quante regioni ha l'Italia?

⑫ A **Palermo** fate una visita alla Vucciria, il tradizionale mercato del pesce, e comprate qualcosa per la cena.

⑬ Vi informate sugli orari di apertura degli **Scavi di Pompei**.

⑭ Siete a **Cagliari** e vi informate sui collegamenti per Roma.

⑮ Al mercato di Campo de' Fiori a **Roma** comprate un po' di frutta.

① Finalmente in Italia! Vi fermate a **Trento**, ma non avete ancora una camera. Andate all'ufficio informazioni.

② Siete a **Trieste**. Che tempo fa?

③ Da **Verona** telefonate a casa e raccontate cosa volete fare nei prossimi giorni.

④ **Milano**, la capitale della moda! Fate un po' di shopping.

⑤ Siete nella regione della buona cucina. Quali prodotti tipici potete comprare a **Modena** e a **Parma**?

⑥ Che gite potete fare nei dintorni di **Ancona**? Se non avete idee guardate il Ripasso 3.

⑦ Siete sugli Appennini, nel **Parco Nazionale d'Abruzzo**. Come passate la giornata?

⑧ Stasera al campeggio di **Termoli** volete fare una grigliata mista. In che negozi andate e cosa comprate?

⑨ Siete sul **Gargano**. Che tempo fa?

⑯ Passate un giorno sul **Lago Trasimeno**. A quali attività vi dedicate?

⑰ Vacanze in campagna vicino a **Siena**. Che cosa fate di bello?

⑱ In un bar con vista sul mare a **Portofino**. Cosa ordinate?

⑲ Ad **Alba** in Piemonte chiedete informazioni sulla «Sagra del tartufo bianco».

⑳ Ad **Aosta** incontrate un amico. Raccontate cosa vi è piaciuto del viaggio.

C Auguri... e buon proseguimento!

Bravissimi/e! You have just finished studying *That's Allegro* and you have by now acquired a basic knowledge of the Italian language. Even outside the classroom, you can keep up with the language. Here are some suggestions. Do you have other ideas you can add?

1 Ascoltare

- Listen to the *Allegro* Cd or tape in the car, while you are ironing, etc.
- Listen to Italian music, from contemporary songs to opera music.
- Turn on the radio or the TV when there are programs playing in Italian or about the Italian language. If you can, watch or listen to Italian channels.
- Pay attention when you hear Italian conversations on the street, in a pizzeria, etc.
- ....
- ....

2 Parlare

- Once in a while, exchange some sentences (or perhaps send a text message) in Italian with your classmates or with other people you know that are studying Italian.
- Sing along with the singer when you listen to an Italian song.
- Read the texts in your textbook out loud. It is a very useful exercise to improve your pronunciation.
- Organize meetings with Italians or people interested in the Italian culture.
- ....
- ....

3 Leggere

- Do you remember making a mobile archive? Well, take out your index cards and review your vocabulary while you are on the bus or the train.
- Borrow from a library or buy an Italian newspaper or magazine. Now you can browse through them, read the titles and even some short, easy articles.
- Surf the Internet and visit some Italian sites.
- ....
- ....

4 Scrivere

Try in Italian to:

- write a postcard or an e-mail to your classmates or Italian acquaintances;
- take notes of your appointments;
- write your grocery or shopping list;
- write in your diary how you spent the day, what you did, etc.
- ....
- ....

Caro diario,

Acquisti

• Gli italiani, di solito, fanno la **spesa settimanale** al supermercato o all'ipermercato, ma per le cose di tutti i giorni vanno anche nel negozio di alimentari o nella bottega vicino casa dove trovano un po' di tutto, dal panino al detersivo. Naturalmente non mancano i **negozi specializzati**, con nomi che variano da regione a regione: la salumeria, per esempio, si chiama anche salsamenteria o pizzicheria, il panificio può essere anche una panetteria e il fruttivendolo si può chiamare anche ortolano.

• In quasi tutte le città, una volta alla settimana, c'è il **mercato**. Qui è possibile comprare frutta, verdura, formaggio, pesce e specialità regionali, ma non solo... ci sono anche bancarelle con articoli per la casa, scarpe, abbigliamento e altro. **Fare la spesa** significa comprare prodotti alimentari, **fare spese**, invece, fare acquisti in negozi di abbigliamento, di scarpe ecc. E cosa fanno gli italiani per risparmiare? Fanno attenzione ai cartelli con le scritte **saldi**, **offerte speciali** o **sconti**.

Gli italiani in vacanza

• In Italia, tutti lo sanno, ci sono posti adatti ad ogni tipo di vacanza: montagne, spiagge, parchi naturali, città d'arte... basta scegliere. Per questo motivo molti italiani preferiscono ancora trascorrere le vacanze in Italia. Le **vacanze scolastiche** cominciano già alla fine di giugno ma, di solito, gli italiani partono solo verso la fine di luglio, quando chiudono anche le fabbriche delle grandi città.

• Vacanze al mare con la famiglia, in campeggio o in albergo, vacanze in campagna o in montagna per chi ama fare escursioni nella natura, queste sono le mete tradizionali. Negli ultimi anni però anche gli italiani hanno scoperto altri modi di fare vacanza: molti vanno **all'estero**, altri cercano la pace e il contatto con la natura in un **agriturismo** o vanno a riprendersi dallo stress cittadino in un **centro di salute e**

benessere.

• Il momento clou dell'estate è **Ferragosto**, il 15 agosto: le città sono vuote, le strade sono quasi deserte, i negozi **chiusi per ferie**. Anche chi non è potuto partire per le vacanze va per qualche giorno **fuori città** in compagnia di amici o parenti. Nei giorni successivi ricomincia per molti il lavoro, le persone tornano a casa e le città tornano a vivere.

Feste e sagre

• In Italia le occasioni per festeggiare sono numerose. Durante l'anno ci sono molte **feste a sfondo storico** o feste religiose, come la **festa del patrono**. In queste occasioni si svolgono processioni per le vie del paese o della città. Un periodo dell'anno ricco di processioni e **manifestazioni religiose** in tutta Italia è quello della **Settimana Santa**.

• Chi è amante della buona cucina, invece, può visitare una **sagra gastronomica** e gustare tante specialità preparate con prodotti tipici della zona.

see glossary on page184

ESERCIZI

1 Come va?

1 Match the sentences as in the example.

1. Buonasera, signora Missoni!
2. Ciao, Marco!
3. Buongiorno, signora, come sta?
4. Arrivederci, signor Rivelli!
5. Ciao, Stefano, come stai?

a) Arrivederci!
b) Non c'è male, grazie.
c) Buonasera!
d) Ciao, Anna! Come va?
e) Bene. E tu?

2 Complete the answers to the short dialogues.

Buongiorno, signora! Come va?

Bene. E tu?

Come sta, signora?

Non c'è male, grazie

Ciao, Laura! Come stai?

Bene e tu?

Ah... signor Martini! Come va?

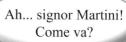

Benissimo. Grazie

Non c'è male grazie

3 Complete the sentences with the verb *essere* (*to be*).

1. ● Tu _sei_ Davide, vero?

   ○ Sì, _sono_ io.

   ● Ciao. Io _sono_ Laura.

2. ● Ciao, io _sono_ Fabrizio e questo _è_ Giancarlo. Tu _è_ Antonella, vero?

   ○ No, io _sono_ Simonetta, lei _è_ Antonella!

3. ● Buongiorno, _è_ Lei la signora Balducci?

   ○ Sì, _sono_ io.

   ● Piacere. Io _sono_ Giovanni Conte.

4 Complete the dialogue with the words provided.

● _Buongiorno_, signor Ghiselli.

○ Buongiorno, signora Molteni, _come_ sta?

● Bene, _grazie_, e _Lei_?

○ Non c'è _male_, grazie.

● Signor Ghiselli, _le presento_ la signora Bertani.

○ Piacere.

△ Piacere.

come / grazie / Le presento / come / Buongiorno / Lei / male

5 Paola meets her friend Marina during a walk with Carlo. Rewrite the dialogue in exercise 4 and remember that the two friends address each other with the "tu" form.

Buongiorno, Marina
Buongiorno Paula come sta?
Bene gracie e tu?
Non c'è male, gracie
Marina, le presento
Carlo
Piacere
Piacere

6 Unscramble the following sentences.

1. Rossi ◆ Ingegnere ◆ signora ◆ Le presento ◆ la

   Ingegnere le presento la signora Rossi

2. Serena ◆ Paolo ◆ questa è

   Serena questo e Paolo

3. Paolo Vittorini ◆ Antonella Santi ◆ Io sono ◆ e ◆ questa è

Io sono Paolo Vittorini e questa è Antonella Santi

4. Le presento ◆ avvocato Bartoli ◆ Dottoressa Mangoni ◆ l'

Dottoressa Mangoni le presento l'avvocato Bartoli

5. Marzano ◆ l' ◆ Sono ◆ architetto

Sono l'architetto Marzano.

---

7 **Read these business cards and complete the two short dialogues.**

DOTT.SSA
ROSALBA MORÈ

VIA EMPEDOCLE, 118 – 95128 CATANIA
TEL. (095) 437715

Alessandra Pasqualini

Via Andrea Palladio, 34, Venezia
Tel. (041) 56 34 23

STUDIO LEGALE **TONNUCCI**
AVV. GIANLUCA CUSANO

VIA PRINCIPESSA CLOTILDE, 7 – ROMA
TEL. (06) 3622708 FAX (06) 3622750

Informatica e tecnologia srl
Ing. Antonio De Mauro

Lecce – Via Fornari, 8 – Tel. (08 32) 31 79 33

● Buongiorno, sono _____

_____

○ Piacere. _____

_____

● È Lei _____?

○ _____

● _____

---

8 **What do you say when…**

1. … you greet a friend?

Buongiorno

2. … you want to know how someone is doing?

Come sta?

3. … you introduce someone?

le presento

4. … you introduce yourself?

Io sono

5. … you leave and say goodbye?

Arrivederci

9 Complete the mini dialogues as in the example.

Erminia ◆ Verona
Erminia è di Verona?
no ◆ Padova ◆ Verona
No, Erminia è di Padova, ma abita a Verona.

1. Lei ◆ Roma

   ....?

   no ◆ Latina ◆ Roma

   ....

2. tu ◆ Milano

   ....?

   sì ◆ Milano ◆ Torino

   ....

3. sig. Caputi ◆ Palermo

   ....?

   no ◆ Napoli ◆ Palermo

   ....

10 Fill in the missing letters to make cities and regions.

Venez.........   Fi.........nze   ....rdegna   Nap.........

Si.........lia   Bo.........gna   Lom.........rdia   ....scana

11 Complete the short dialogues with adjectives' endings.

● Ciao, io sono Antje. Sono olandes......, di Rotterdam.
  E questo è Henrik. Anche lui è olandes......

○ Io sono Maria José. Sono spagnol......, di Malaga. Questa invece è Natalie.
  Lei è frances......, di Bordeaux. Anche Nadine è frances......, vero?

● No, lei è tedesc......, Pierre è frances...... È di Nizza. E Richard è tedesc...... o austriac......?

○ Richard? Richard è ingles......!

12 Complete the sentences with adjectives of nationality.

1. Pierre è *Francese*, di Parigi.
2. Katrin è ...., di Vienna.
3. Alice è *Inglese*, di Londra.

4. Bernard è *olandese*, di Amsterdam.
5. Cristina è *spagnola* di Madrid.
6. Petra è ...., di Berna.

13 Replace numbers with letters (the same letter corresponds to the same number) to read a message sent to the chat room, of a site called *Amici.net*.

C I A O   A   T U T T I !   S O N O   E L E N A,

I T A L I A N A   D I   N A P O L I   E

C E R C O   A M I C I.   C H A T T I A M O?

14 *Di*, *a* or *in*? Complete with prepositions.

1. ● Marina è _di_ Madrid?
   ○ Sì, ma abita _a_ Lione.
2. ● _Di_ dove sei?
   ○ Sono italiana, _di_ Torino.
3. ● Vienna è _in_ Germania?
   ○ No, è _in_ Austria.

4. ● Giorgio adesso abita _in_ Inghilterra?
   ○ Sì, _a_ Manchester.
5. ● Abita _a_ Manchester anche Piero?
   ○ No, lui abita _a_ Zurigo.
6. ● Lei _di_ dov'è?
   ○ Sono _di_ Verona.

15 *Essere* or *stare*? Complete the sentences.

● Buongiorno, signor Ruperti.
○ Ciao, Marta. Come _va_?
● Bene, grazie. E Lei, come _sta_?
○ Non c'è male, grazie. Marta, questa _è_ Jeanette.
△ Piacere.
● Ciao, Jeanette. Ma tu _è_ francese?
△ No, il nome _è_ francese, ma io _sono_ italiana.

16 Francesco and Angela meet Marco. Follow the instructions and complete the dialogue.

Francesco greets his friend Marco and asks him how he is doing.	● Ciao, Francesco! ○ _Ciao, Franco come sta_
Francesco introduces Angela to Marco.	● Bene, grazie. ○ _Questa è Angela_ ● Piacere. △ Ciao, Marco.
Francesco tells Marco that Angela is Swiss, from Basel and that she now lives in Rome.	○ ....
Francesco and Angela leave and say goodbye to Marco.	● Ciao. □ ....

17 Complete the sentences with the verbs provided.

1. ● La signora Bruni è di Rieti?
   ○ Sì, ma *abitare* a Roma.

2. ● Ingegner Rimoldi, Le *presentaro* il dottor Speroni.
   ○ Piacere.

3. ● Ciao, Miriam. Come ....?
   ○ Bene. E tu?

4. ● Buongiorno, ... l'avvocato Rosselli. Lei .... la signora Crispi?
   ○ No, ... Maria Russo.

5. ● Giorgio, tu *abitare* a Ferrara?
   ○ No, abito a Ravenna.

abitare

essere

stare

presentare

18 Insert the following words in the four columns based on the way you pronounce them.

musica ◆ Pinot grigio ◆ gondola ◆ parmigiano ◆ medicina ◆ discoteca
zucchini ◆ cioccolata ◆ elegante ◆ Lamborghini ◆ cinema ◆ giraffa
Valpolicella ◆ spaghetti ◆ Germania ◆ architettura ◆ anche ◆ gusto
piacere ◆ Giulia ◆ gelato ◆ Lancia ◆ discussione ◆ guardaroba

| Hard. | Hard. | Soft |
Caserta	Vicenza	Lugano	Genova
Discota	piacere	Gondola	Gelato
cioccolata		elegante	Giraffa
anche		Spaguetti	Parmigiano
discussione		Guardarobe	Gemania

19 Complete the words.

come   buon*gior*no   austria........

ar........tetto   ....sì ....sì   avvo.*ca*.to

fran.*ce*.se   ....llega   ....ttà

in.*ge*.gnere   arriveder.*ci*.   ami........zia

tedes.*co*.   *co*.gnome   pre........

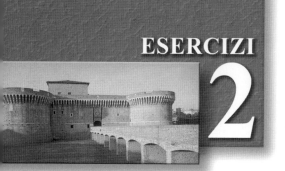

2 Dove vai?

1 Complete the two short dialogues with the verb *essere* (*to be*).

1. ● Ciao, io _sono_ Sandro. Tu _sei_ Paola, vero?
   ○ Sì, e questa _è_ Rosalba.
   ● Piacere.

2. ● E voi _sono_ di Modena?
   ○ No, _siamo_ di Parma. Luca e Roberto _sono_ di Modena.

sono   siamo   è   sei   siete   sono

2 Make some sentences by putting pieces of the puzzle together.

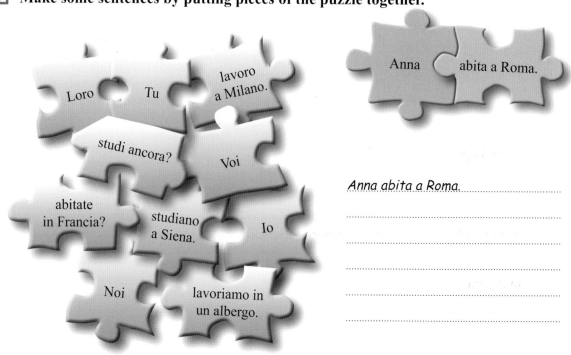

Loro   Tu   lavoro a Milano.   Anna   abita a Roma.

studi ancora?   Voi

abitate in Francia?   studiano a Siena.   Io

Noi   lavoriamo in un albergo.

Anna abita a Roma.

_____

_____

_____

_____

3 Complete the sentences with the verb *andare* (*to go*).

1. Quest'estate (noi) _____ a Senigallia.
2. Anna e Sandro _____ in Olanda.
3. Mario _____ in città.
4. (Io) _____ in Italia a passare le vacanze.
5. Come mai (tu) _____ a Bari?
6. Il signor Ferrara _____ a Roma.
7. (Voi) _____ in Francia quest'estate?

4 Complete the questions of the short dialogues.

1. ● Ciao Luigi, ...?
   ○ Bene, grazie. E tu?

2. ● .... a Napoli?
   ○ Siamo qui per visitare la città.

3. ● .... Mario e Luisa?
   ○ Abitano a Viterbo.

4. ● Giorgio .... a Milano?
   ○ No, lavora a Varese.

5. ● Voi ....?
   ○ No, studiamo ancora.

6. ● Marta, ... sei?
   ○ Sono di Venezia.

7. ● Jan .... tedesco?
   ○ No, è olandese.

8. ● Tu come mai .... qui a Pescara?
   ○ Sono qui per lavoro.

5 Complete the sentences with prepositions.

Il signore e la signora Andreoli sono .... treno e vanno .... Roma.

Sono .... Londra, ma abitano .... Italia.

Anche Rita e Manuela sono .... treno. Manuela va .... Bologna .... trovare un amico.

Rita invece va .... Rimini per lavoro. Quest'estate lavora .... un albergo.

6 Turn the sentences into negative form, as in the example.

La signora Magoni è svizzera.
La signora Magoni non è svizzera.

1. Il signore e la signora Perini abitano a Pavia.

   ....

2. Il signore e la signora Perini tornano a Palermo.

   ....

3. Rita lavora in un ristorante.

   ....

4. Rita e Manuela studiano a Bologna.

   ....

7 An Italian lady and an Austrian man chat while travelling on the Intercity train from Rome to Trieste. Complete the dialogue with the words provided below.

vero   già   adesso

● Scusi, siamo *già* a Bologna?
○ No, Bologna è la prossima.
● Ma Lei non è italiano, *vero*?

○ No, sono francese, di Parigi.
● Ah, e *adesso* torna a Parigi?
○ No, io studio a Milano.

8 Solve the crossword puzzle and discover the name of a city.

1 La stagione più calda.
2 Per viaggiare in treno bisogna prima fare il...
3 Uno sport all'aperto per due persone.
4 Da lì prendiamo il treno.
5 Lì possiamo prenotare una camera e passare la notte.
6 Per molti è il periodo più bello dell'anno.
7 Il contrario del tempo libero.
8 È il paese dove tutti parlano italiano.
9 Molto più grande di un paesino.
10 Più di un buon conoscente.

3 ➤ T E N N I S
4 ➤ S T A T I O N E

Solution: a seaside city

9 Match these words with the correct definite article.

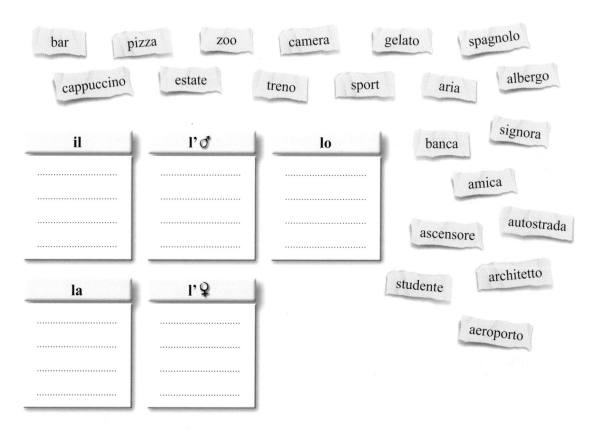

bar · pizza · zoo · camera · gelato · spagnolo · cappuccino · estate · treno · sport · aria · albergo · signora · banca · amica · ascensore · autostrada · architetto · studente · aeroporto

il	l'♂	lo

la	l'♀

That's Allegro

10 Mrs. Bianchi books a room at the Paradiso Hotel. First she asks for some information. Carefully observe the image and write, as in the example, the lady's questions and the receptionist's answers.

Sì/No, ...

C'è ...

Signora Bianchi	Portiere
C'è il parcheggio?	

11 Put the sentences in the dialogue in the correct order.

- Sì. Senta, c'è anche la piscina, vero?
- Birindelli.
- Buongiorno, vorrei prenotare una camera singola per questo fine settimana.
- Bir... come, scusi?
- Hotel Bella vista, buongiorno.
- Birindelli, va bene.
- Sì, va bene, e a che nome?
- Arrivederci.
- Ah, benissimo! Allora grazie e arrivederci.
- Sì, signora, la piscina e anche la spiaggia privata.
- Birindelli. Bi - i - erre - i - enne - di - e- elle - elle - i.

○ Hotel Bella vista, buongiorno.

● ....
  ....

○ ....

● ....

○ ....

● ....

○ ....

● ....

○ ....
  ....

● ....

○ Arrivederci.

12 Unscramble the sentences.

1. vero ◆ è ◆ Il signor Arcari ◆ di Treviso ◆ ?

....

2. c'è ◆ non ◆ All'Hotel Sole ◆ il parcheggio

....

3. è di ◆ a Perugia ◆ Martina ◆ studia ◆ Todi ◆ ma

....

4. andate ◆ Luca ◆ a trovare ◆ Non ◆ ?

....

5. Per Frosinone ◆ treno ◆ devo cambiare

....

6. Alessandro ◆ per lavoro ◆ in Francia ◆ va

....

13 Complete the text with the verbs provided.

Mi chiamo Martina, ... di Torino ma .... a Pavia.
Venerdì .... a Genova a trovare un'amica francese,
Natalie. Natalie .... di Parigi, ... all'università,
ma quest'estate .... in un albergo a Rapallo. Natalie
.... molto bene l'italiano. (Noi) .... il fine
settimana insieme e .... la città. Domenica io ....
a Pavia e lei .... a Rapallo.

andare (2) ◇ *lavorare*

visitare ◇ *essere* (2)

tornare ◇ *studiare*

parlare ◇ *abitare*

passare

14 Complete the short dialogues with the words provided.

1. ● Biglietti, prego!
   ○ *Scusi*, per Venezia devo cambiare?

2. ● Lei non è di Roma, *Vero*?
   ○ No, non sono di qui.

3. ● Hotel Paradiso, buongiorno!
   ○ Buongiorno, *Vorrei* una camera singola.

4. ● *A propposito* c'è anche la piscina?
   ○ Sì, signora.

5. ● Ecco la chiave.
   ○ *Gracie*. Arrivederci.

A proposito

Grazie   Scusi

vero   vorrei

15 Write out the letters provided randomly, then unscramble the right word.

1. esse – o – erre – e – a – esse – ci – e – enne   *s o r e a s c e n*   *ascensore*
2. gi – i – o – ci – acca – e – gi – pi – a – erre
3. di – i – gi – i – a – erre – enne – o
4. bi – e – erre – a – elle – gi – o
5. gi – i – a – esse – pi – i – a – gi
6. enne – a – ci – i – pi – i – esse

16 Mr. Claudio Facchetti from Cagliari wants to book a single room in a hotel in Milan. The receptionist does not understand the name and the address. How does Mr. Facchetti spell out the information? Complete.

Facchetti:
Effe - a

via Delle Maschere:

Cagliari:

17 Match the words based on the way you pronounce them.

scultura ◆ shampoo ◆ scirocco ◆ prosciutto ◆ Frascati
pesca ◆ tedeschi ◆ ascensore ◆ camoscio
pesce ◆ scherzo ◆ fresco

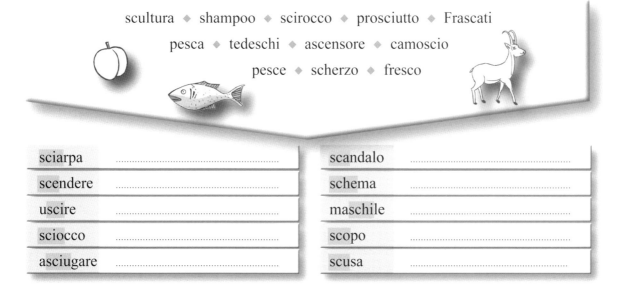

sciarpa		scandalo	
scendere		schema	
uscire		maschile	
sciocco		scopo	
asciugare		scusa	

4

Prendi un caffè?

1 Look at the illustration and write down what each family member orders.

Il signore prende ....,

la bambina ....,

il bambino ....,

la signora ....

2 Complete the short dialogues with the verb *prendere* (here: *to have*).

1. ● Signor Bagatti, che cosa ....?
   ○ Un caffè, grazie.
   ● E voi che cosa ....?
   △ Teresa .... un cappuccino, io invece un tè.

2. ● Ragazzi, ... qualcosa da bere?
   □ Buona idea, andiamo al bar *Maria*?

3. ● .... una birra anche tu?
   △ Mmm, no, io .... una coca-cola.
   ● E Marzia e Robertino che cosa ....?
   △ Per loro va bene un'aranciata.

3 **Underline the right form of the verb** *avere* (*to have*).

1. Marco e Luisa hanno / avete una camera doppia.
2. L'ingegner De Roberti ha / ho un lavoro interessante.
3. Giovanna, hai / hanno per caso 50 centesimi?
4. Noi non hai / abbiamo ancora il biglietto per il treno.
5. Signor Marinelli, ha / hai Lei lo scontrino?
6. Io abbiamo / ho un amico a Vienna.

4 **Unscramble the words to create the dialogue.**

aperitivo ◆ un ◆ Ragazzi ◆ prendiamo ◆ ?   ● ....
bar ◆ Va bene ◆ andiamo ◆ *Rossini* ◆ al   ○ ....
Al bar
Io ◆ un ◆ Campari ◆ prendo ◆ voi ◆ e ◆ ?   ● ....
Campari ◆ Prendo ◆ anch'io ◆ un   ○ ....
prendo ◆ un ◆ Io ◆ invece ◆ Aperol   △ ....
due ◆ un ◆ Aperol ◆ Allora ◆ e ◆ Campari   ● ....
euro ◆ Sono ◆ 6 ◆ e ◆ 80   ■ ....

5 **Match the words with the correct article.**

aperitivo (aranciata (birra (acqua (scontrino (idea (coca-cola (spumante (spagnolo (cornetto (caffè (pasta (

un: Caffè, cola-cola
uno:
una:
un':

6 **Complete by writing the number in figures or letters.**

8 otto
10 dieci
17 diciassette
19 diccianno
12 dodici

9 nove
16 sedici
11 undici
18 diciotto
15 quindici

20 venti
6 sei
14 quattordici
13 tredici
7 sette

7 How much do the customers pay? Complete the cashier's answers as in the example.

Bar San Martino
Listino Prezzi

❖ CAFFETTERIA ❖		❖ VINI ❖	
CAFFÈ ESPRESSO	€ 0,90	MARTINI	€ 2,05
CAFFÈ HAG	€ 0,95	VINSANTO	€ 1,05
CAPPUCCINO	€ 1,15	VINO AL BICCHIERE	€ 1,05
LATTE MACCHIATO	€ 1,05	SPUMANTE	€ 2,05
TÈ, CAMOMILLA	€ 1,15	PORTO	€ 1,80
CIOCCOLATA	€ 1,55		
		❖ BIBITE ❖	
❖ APERITIVI ❖		BIRRA GRANDE	€ 3,05
CAMPARI	€ 2,05	BIRRA PICCOLA	€ 1,80
SAN BITTER	€ 2,05		
CRODINO	€ 2,05	COCA-COLA	€ 2,05
		ACQUA	€ 1,80
❖ LIQUORI ❖		SUCCO DI FRUTTA	€ 1,80
LIQUORI	€ 2,05	SPREMUTA	€ 2,05
GRAPPA	€ 2,05		
WHISKY	€ 3,05	PASTE	€ 0,90
COGNAC	€ 3,05	PANINI	€ 1,55

- Una spremuta e un San Bitter. Quant'è?
  ○ *Quattro euro e dieci.* ....

- Allora, un cappuccino e un latte macchiato.
  ○ ....

- Un Campari, un Crodino... e un porto. Quant'è?
  ○ ....

- Allora, una spremuta e un panino. Quant'è?
  ○ ....

- Una cioccolata e un tè verde.
  ○ ....

- Un caffè e una pasta. Quant'è?
  ○ ....

8 What else can you say to order a cappuccino?

Un cappuccino, per favore.

....
....

....
....

....
....

9 Write the plural of the following words in the correct column.

bar ◆ cappuccino ◆ gelato ◆ aranciata ◆ caffè ◆ panino ◆ bicchiere
pizzetta ◆ tè ◆ cioccolata ◆ hotel ◆ tramezzino ◆ birra
tiramisù ◆ pasta

invariabili al plurale	plurale in -i	plurale in -e

That's Allegro

10 What can we order at a *bar*?
Write down the drinks with the
indefinite article and the correct adjective.

verde   amara   macchiato

calda   grande   analcolico

una cioccolata calda ....

....

....

....

....

....

11 Write the following
numbers in letters.

75 ▷

99 ▷

What is the hidden number?

41 ▷

....

25 ▷

33 ▷

88 ▷

67 ▷

12 Complete with the singular or plural form of the nouns.

il ragazzo	i ragazzi	l'aranciata	....	....	le trattorie
il bar	....	la città	....	l'aperitivo	....
l'antipasto	....	....	i cornetti	....	le amiche
....	gli scontrini	il ristorante	....	....	le paste

13 Mrs. Bertoni goes to the trattoria *Da Michele* with a friend. Following the instructions complete the dialogue with Mrs. Bertoni's missing quotes.

Mrs. Bertoni wants a table for two.

● Buongiorno, Signora Bertoni!
○ Buongiorno, Roberto.
....
....

She agrees. She sits down and asks the waiter what he recommends today.

● Questo qui va bene?
○ ....
....

● Beh, oggi abbiamo di primo gnocchetti al pesto e lasagne al forno e di secondo agnello in umido o calamari alla griglia.

She asks if they have "crostini".

○ ....

● Sì, certo!

She asks her friend what she is going to have.

○ ....

△ Mah, io prendo le lasagne e di secondo l'agnello in umido.

She is going to have "crostini" and "calamari". To drink, she orders a bottle of mineral water.

● Va bene. E per Lei, signora Bertoni?
○ ....
....
....

● Va bene.

14 Complete the text with the definite or indefinite article.

.... signore e .... signora Marinelli prendono .... aperitivo al bar con .... amico, il signor Samanti. Alla cassa il signor Samanti ordina .... Martini, ... Campari e .... aranciata. Poi paga, prende .... scontrino e va al banco con .... signori Marinelli. Dopo vanno tutti al ristorante *Nabucco*. La signora Marinelli prende .... orecchiette al pesto e .... insalata. Il signor Marinelli prende .... cannelloni con .... spinaci e .... calamari alla siciliana. Il signor Samanti invece prende .... spaghetti al pomodoro e .... pesce fritto. Da bere prendono .... bottiglia di Chardonnay e .... bottiglia di acqua minerale naturale.

15 **Complete the short dialogues with the words provided below.**

per favore   va bene   Dunque   mi dispiace   grazie   Ecco

1. ● Cosa avete di primo?

   ○ ...., abbiamo risotto alla pescatora e lasagne alle verdure.

2. ● .... l'aranciata e il cappuccino.

   ○ Grazie.

3. ● Andiamo al ristorante *La dolce vita*?

   ○ Sì, ...

4. ● Ludovica, prendi un caffè?

   ○ No, ...

5. ● Avete le trenette al pesto?

   ○ No, ...

6. ● Un prosecco, ...

   ○ Sì, signora.

16 **Make questions to the following answers.**

1. ● ....

   ○ Prendo un caffè macchiato.

2. ● ....

   ○ Le tagliatelle sono proprio buone.

3. ● ....

   ○ Il ristorante *Fellini* è in Via Oliviera.

4. ● ....

   ○ Sì. Andiamo al bar *San Marco*?

5. ● ....

   ○ Il pesce è molto buono.

6. ● ....

   ○ Due euro e sessanta.

17 **Work in pairs. Tonight you are going out to dinner for a particular reason. Order a meal, from appetizer to dessert:**

un'insalata mista, un piccolo piatto di zuppa di pesce, un pezzo di dolce alle mandorle, agnello alla griglia con spinaci, un espresso, spaghetti ai frutti di mare, un amaro, acqua, una porzione di frutta e vino bianco.

The waiter writes everything down. What is written on his order list?

Antipasto........................

Primo........................

Secondo........................

Contorno........................

Altro........................

Da bere........................

Tu che cosa fai?

1 Insert the professions provided below in the correct column.

ingegnere ◆ casalinga ◆ infermiere ◆ commessa ◆ operaio ◆ impiegata
avvocato ◆ architetto ◆ programmatrice ◆ cameriera ◆ medico

♂	♀	♂♀
.... impiegato	....	....
casalingo	....	
....	....	
....	.... infermiera	....
	operaia	
.... programmatore	....	....
commesso	....	
.... cameriere	....	

2 What job do they do? Complete with the professions provided.

 cameriere    commessa

 programmatrice    medico   tassista   operaio   avvocato   infermiera

Mi chiamo Armando. Faccio ....

Mi chiamo Rosa e sono ....

Mi chiamo Mario e sono ....

Mi chiamo Grazia e sono ....

Ciao, sono Aldo e faccio ....

Mi chiamo Renato e faccio ....

Sono Claudia e sono ....

Mi chiamo Luisa e faccio ....

3 Complete the short dialogues with the verb *fare* (*to do*; *to make*; with jobs: *to work as…*; *fare un viaggio*: *to take a trip*).

1. ● Tu che lavoro ....?
   ○ Io studio ancora, ma ogni tanto .... la baby-sitter.

2. ● Signora Dupont, cosa .... qui in Italia?
   ○ Sono qui in vacanza.

3. ● Ragazzi, voi che cosa .... questa sera?
   ○ Stasera stiamo a casa.

● E Gianni e Maurizio, che cosa ....?
   ○ Loro vanno al cinema.

4. ● Dove andate in vacanza?
   ○ Quest'anno .... un viaggio in Francia.

5. ● Ma Roberto dove lavora?
   ○ Lavora a Caserta, ... il tassista.

4 Complete the crossword puzzle with work places and discover the hidden words.

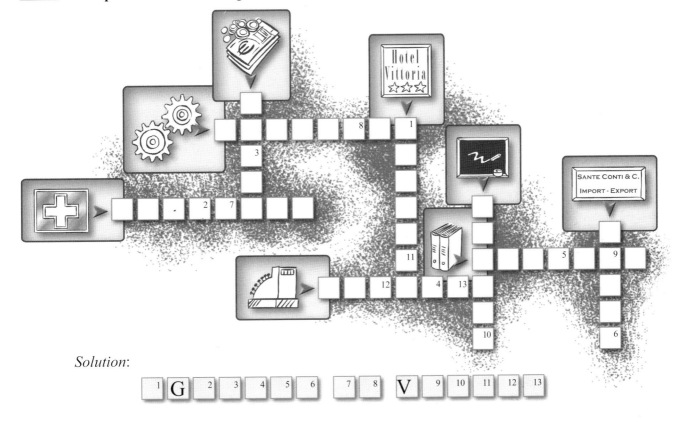

Solution:

| | 1 G | 2 | 3 | 4 | 5 | 6 | | 7 | 8 V | 9 | 10 | 11 | 12 | 13 |

5 Guido and Paolo, two old school friends, meet in a bar. Complete their dialogue with Guido's missing quotes.

Guido greets Paolo. He says he is doing well and then asks Paolo how he is doing.

● Ehi, ciao Guido! Come va?
○ ....
....

Guido says he lives in Lucca and works for a computer company.

● Bene, bene. Ma tu che cosa fai adesso?
○ ....
....

Guido replies he is a programer and adds that it is an interesting job and that he is very happy. He asks Paolo if he still lives in Lucca.	● Sei programmatore? ○ ....
Guido asks what job/profession Paolo has.	● No, io ora abito a Viareggio, ma lavoro qui a Lucca. ○ ....
Guido thinks that Paolo's job is challenging.	● Sono medico, lavoro in ospedale. ○ ....
	● Sì, è anche stressante, ma mi piace proprio.

6 Elena talks about her job. Complete the text with the adjectives provided; be careful with the endings.

faticoso   buona   impegnativo   nuova   giovane

poco flessibili   stressante   molto simpatica

Io sono infermiera.

Il mio lavoro è .... e .... ,

a volte anche .... Purtroppo gli orari sono

.... Con i colleghi però vado d'accordo.

Marina, ad esempio, una collega .... ,

è .... e ....

Insomma, l'atmosfera è ....

7 Fill in the correct endings of the adjectives.

Giovanna ha un nuov..... lavoro ed è molto content....... Fa la commessa in un negozio di scarpe.

Il lavoro è impegnativ...... però è anche vari....... L'unico problema sono gli orari poco flessibil..... perché il negozio è chius..... solo la domenica e il lunedì mattina.

I colleghi di Giovanna sono giovan....... Con Gloria, una collega molto simpatic....., Giovanna va spesso a mangiare qualcosa a mezzogiorno. Generalmente prendono una pizzetta cald..... o un toast e bevono coca-cola o acqua mineral.......

8 First, fill in the missing parts of the day,
and then put the sentences in order from 1 to 5.

la mattina

mezzogiorno

Il pomeriggio

La sera

la notte

☐	Laura .... fa colazione e va all'università. Dopo le lezioni,
☐	.... lavora in una libreria.
☐	beve troppo caffè e .... dorme male.
☐	.... torna a casa, mangia qualcosa e dopo studia. A volte
☐	verso ...., va a mangiare con gli amici alla mensa.

9 With the help of the syllables provided, conjugate the verbs *pulire* and *finire*. Each
syllable can be used more than once.

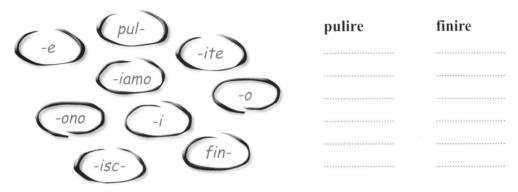

-e   pul-   -ite   -iamo   -o   -ono   -i   -isc-   fin-

pulire | finire
.... | ....
.... | ....
.... | ....
.... | ....
.... | ....
.... | ....

10 Match the two columns (1 to 7, *a* to *g*) to create a text about Vittoria.

1.	Questa settimana Vittoria
2.	Per fortuna lei
3.	La mattina Daniele, suo
4.	Dopo la scuola i figli
5.	Mettono anche un po'
6.	Quando Daniele torna
7.	Cucinare è il suo

a)	fanno la spesa.
b)	a casa prepara la cena.
c)	forte, pulire la cucina dopo non tanto!
d)	sta male.
e)	marito, prepara la colazione.
f)	non vive sola.
g)	in ordine l'appartamento.

11 Complete the text with the correct form of the verbs provided.

Gianna .... casalinga e .... sempre tanto da fare.
La mattina .... la casa, poi .... e .... a
fare la spesa. Il pomeriggio di tanto in tanto .... in un
museo. Quando .... a casa .... da mangiare. Il
marito di Gianna .... architetto e .... di lavorare
tardi. La sera quando lui .... a casa .... insieme.

essere ◆ avere

pulire ◆ stirare ◆ andare

lavorare

tornare ◆ preparare

essere ◆ finire

arrivare ◆ mangiare

12 Make sentences using the following elements.

1. Rino ◆ pensionato ◆ 75 anni ◆ ed è ◆ ha

   ....

2. Irene ◆ a Salerno ◆ commessa ◆ con il ◆ è ◆ e vive ◆ marito

   ....

3. Michele ◆ i colleghi ◆ non ◆ d'accordo ◆ va ◆ con

   ....

4. Sandro ◆ un colloquio ◆ Lunedì ◆ ha ◆ alla Fiat

   ....

5. Bianchi ◆ ingegnere ◆ La ◆ è ◆ signora

   ....

6. Claudio ◆ di sera ◆ cuoco ◆ e lavora ◆ è

   ....

13 Put the possessive adjective with or without the definite article.

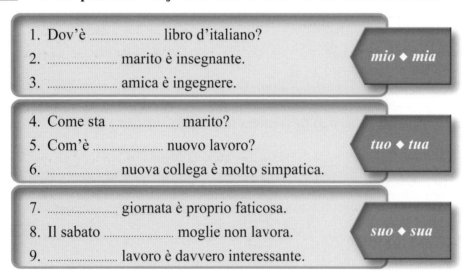

1. Dov'è .... libro d'italiano?
2. .... marito è insegnante.
3. .... amica è ingegnere.

mio ◆ mia

4. Come sta .... marito?
5. Com'è .... nuovo lavoro?
6. .... nuova collega è molto simpatica.

tuo ◆ tua

7. .... giornata è proprio faticosa.
8. Il sabato .... moglie non lavora.
9. .... lavoro è davvero interessante.

suo ◆ sua

14 Complete the page in the planner with the days of the week.

18	19	20	21	22	23	24
....	**martedì**	....	....	....	....	....
	dentista					
			banca			
					festa Giulia	

15 Complete the verbs *potere* and *dovere*.

po.......o	d....vo
p....oi	dev....
pu....	de.......
pos.......amo	do.......iamo
po....ete	d.......ete
pos.......no	d.......ono

16 Complete the short dialogues with the verbs *potere* and *dovere*.

1. ● Luigi, ... fare tu la spesa oggi pomeriggio?

   ○ Mi dispiace, ma non .... Oggi pomeriggio .... andare dal medico.

   ● Va bene.

2. ○ Gianna, tu sabato .... lavorare?

   ● No, questo fine settimana, per fortuna, non .... lavorare.

   ○ Ma allora .... andare al mare.

   ● Sì, buona idea!

3. ● Andiamo al cinema stasera?

   ○ Mi dispiace, ma stasera .... studiare. Non .... andare domani?

   ● Va bene. Andiamo domani.

4. ● Venerdì andiamo a Verona con Mario e Vittoria, vero?

   ○ Ma no, partiamo sabato. Venerdì Mario non .... perché .... lavorare.

   ● Ah, già. È vero.

5. ● Ma voi andate alla festa di Manuela stasera?

   ○ Sì, però prima .... finire questo lavoro.

6. ● Quando arrivano Luca e Marina?

   ○ Più tardi. Prima .... andare a prendere i bambini a scuola.

17 Complete the dialogue with the words provided on the right.

Come mai   Dai

No, guarda

Mi dispiace, ma   Perché

Per fortuna

● Senti, Giorgio, venerdì dobbiamo pulire la casa. Sabato arriva tua madre.

○ .... venerdì devo andare dal medico.

● ...., però possiamo mettere un po' in ordine dopo.

○ ...., dopo vorrei andare a trovare Maurizio.

● .... vai a trovare Maurizio proprio venerdì?

○ .... sabato lui va a Roma per una settimana. Ma possiamo pulire la casa sabato mattina. .... mia madre arriva solo il pomeriggio.

● E va bene. Facciamo così.

1 Form the compound prepositions.

	il	lo	la	l'	i	gli	le
a	al	....	....	all'	....	....	alle
da	....	dallo	....	....	dai	....	....
in	....	....	nella	....	....	negli	....

2 Complete with the compound prepositions.

a	....	fermata	....	zoo	....	supermercato	....	edicola
da	....	architetto	....	medico	....	madre	....	amici
in	....	giardino	....	trattoria	....	centro	....	istituto

3 Complete the text with the prepositions *a* or *da*, followed by the definite article.

No, mi dispiace, oggi non ho tempo. Ho mille cose da fare: devo andare .... dentista, ... mercato, ... fioraio, ... ufficio postale, ... centro TIM e .... parrucchiere. E stasera vado .... corso di francese.

4 Complete the text with the preposition *in*, followed by the definite article.

Arriva l'estate! C'è gente .... gelaterie, ... negozi, ... uffici turistici, ... banche, ... ristoranti, ... trattorie, ... bar, ... alberghi, ... piscine e persino .... ascensori!

5 **What do Marisa, Aldo and Vittorio want or have to do?**
Complete the sentences with the help of the words provided
and the pictures on the side.

posta   scuola

palestra   ristorante   albergo   medico   parco   stazione   banca

1. La mattina Marisa deve andare a prendere un pacchetto ....
   Per il pranzo incontra la sua amica Elena e insieme vanno ....
   La sera per fare un po' di sport Marisa va ....

2. Questa mattina Aldo non sta bene e va .... Dopo va
   a prendere il bambino .... e insieme vanno ....
   ....

3. Stasera Vittorio deve partire per Venezia per lavoro. Il pomeriggio
   va a cambiare i soldi .... e alle sette prende un taxi
   per andare .... A Venezia va direttamente ....
   perché è stanco.

6 **Insert c'è (there is) or ci sono (there are).**

1. ● Scusi, ... un supermercato in questo quartiere?
   ○ No, qui non .... supermercati.
2. ● È bello fare spese in centro perché .... tanti negozi.
   ○ Sì, ma non .... parcheggi per la macchina.
3. ● Non .... un ufficio postale qui vicino?
   ○ Sì, certo, in piazza del Mercato .... la posta centrale.
4. ● Purtroppo qui nella zona non .... ristoranti italiani.
   ○ Beh, allora andiamo in centro, lì .... *La Tavola.*

7 **Insert è (is) or c'è (there is).**

1. Accanto all'albergo .... un bar molto elegante.
2. In piazza Tasso .... un ristorante spagnolo.
3. Guarda, ... Rita alla fermata dell'autobus!
4. La Banca Commerciale .... in via Verdi.
5. La fermata dell'autobus .... di fronte alla stazione.
6. Vicino a casa mia .... un campo da tennis.
7. .... una drogheria in via Benedetta.
8. La gelateria .... di fronte alla chiesa San Francesco.

8 *Dove si trova?* (*Where is it?*) **Complete the sentences.**

1. La fermata è .... supermercato.
2. Il supermercato è .... banca.
3. L'edicola è .... ristorante.
4. Il ristorante è .... scuola.
5. La banca è .... farmacia.

9 **Complete the sentences with the words provided.**

1. Il mio .... non funziona.
2. C'è un' .... qui vicino?
3. No, in questo .... purtroppo non c'è una farmacia.
4. Scusi, dov'è la .... centrale?
5. Andiamo al .... stasera?

edicola   cinema   cellulare   stazione   quartiere

10 *Che ore sono? / Che ora è?* (*What time is it?*)

Sono le due e mezzo. ....

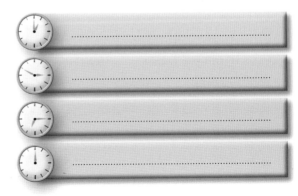

11 Write down the opening and closing times.

1. ● Quando è aperto il supermercato *Poli*?

○ ....
....
....

POLI LEVICO C.so Centrale 40

Orari Lunedì–Sabato

Mattino	8.15 – 12.30
Pomeriggio	15.00 – 19.00

Chiuso il mercoledì pomeriggio.

2. ● Quando è aperta la farmacia *Moroni*?

○ ....
....
....

FARMACIA MORONI
Corso Brodolini 81
Vigevano

Orari di apertura
dal martedì al sabato
ore 8.30–12.30 e 15.30–19.30

3. ● Quando è aperto l'ufficio postale di Cremona Centro?

○ ....
....
....

Ufficio
CREMONA CENTRO

Via Verdi 1

Lunedì – Venerdì	8:10 – 19:00
Sabato	8:10 – 13:00
Domenica	Chiuso

12 Complete with questions.

1. ● *Scusi*,.. *supermercato?*

○ Alle otto e mezzo.

2. ● ....

○ Sono le dieci meno un quarto.

3. ● .... *i negozi del centro commerciale?*

○ Chiudono alle otto di sera.

4. ● ....

○ Roberto arriva domani verso le sette.

13 Tick (✓) the right expression.

Allora, Lei deve girare	☐ a destra,	poi continuare	☐ l'incrocio.
	☐ fino al semaforo,		☐ fino all'incrocio.
	☐ la piazza,		☐ in via Larga.

Dopo gira	☐ il ponte,	attraversa	☐ la piazza	e arriva	☐ la via Calvi.
	☐ sinistra,		☐ a sinistra		☐ fino via Calvi.
	☐ a sinistra,		☐ il semaforo		☐ in via Calvi.

14 In Florence, an employee of the tourist information office in Camillo Cavour Street explains to an Italian tourist how to get to the Church of *Santa Maria Novella*. Complete the directions below.

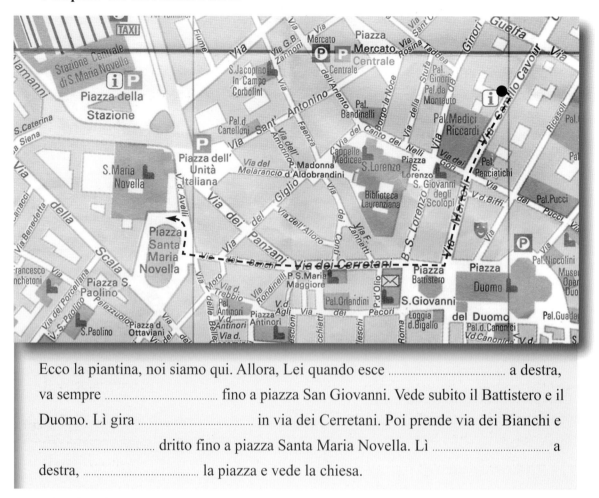

Ecco la piantina, noi siamo qui. Allora, Lei quando esce .... a destra, va sempre .... fino a piazza San Giovanni. Vede subito il Battistero e il Duomo. Lì gira .... in via dei Cerretani. Poi prende via dei Bianchi e .... dritto fino a piazza Santa Maria Novella. Lì .... a destra, ... la piazza e vede la chiesa.

15 Complete the crossword puzzle with the correct verb forms.

1. tu - sapere
2. tu - uscire
3. lei - uscire
4. noi - aprire
5. voi - sapere
6. loro - aprire
7. noi - sapere
8. noi - uscire
9. voi - uscire
10. loro - sapere
11. Lei - aprire
12. io - aprire
13. lui - sapere
14. tu - aprire
15. io - uscire
16. io - sapere
17. voi - aprire
18. loro - uscire

16 **Complete the two mini dialogues with the verb *venire* (*to come*).**

1. *Al telefono*

   • Carla, ... anche tu sabato sera al *Barone Rosso*?

   ○ Sì, ... anch'io.

   • Bene! .... anche Vittoria e Gabriele?

   ○ Certo! Però Gabriele .... un po' più tardi perché sabato deve lavorare.

2. *Al bar*

   • Allora, a stasera! Ci vediamo *da Guido*.

   ○ Ah! .... anche voi! Che bello!

   • Sì, però .... solo dopo cena.

17 **Complete the dialogue with the expressions provided.**

   • Ciao, Ramona. Dove vai ....?

   ○ .... al bancomat. E tu?
   Cosa fai ....?

   • Devo passare dal fioraio, ho un invito a pranzo…

   ○ Ma adesso è quasi l'una, il fioraio è chiuso.

   • Accidenti! È già l'una! E adesso ....?

   ○ Perché non vai al centro commerciale? Lì i negozi fanno l'orario continuato.

   • .... Buona idea.

   ○ Beh, ma adesso devo proprio scappare. Ciao.

   • Ciao.

da queste parti

Ah già, è vero!

Faccio un salto

come faccio

così di corsa

18 **You are on vacation in Lucca. You ask…**

… the hotel receptionist,

– if there is an ATM nearby;

....

– if stores are open at lunch time.

....

… the movie theater's cashier,

– what time the movie starts;

....

– if you can book three tickets for Tuesday night.

....

C'è una banca qui vicino?

8 Che cosa hai fatto ieri?

1 Create questions based on the pictures, as in the example.

Ti piace guardare la TV?

1. ....

2. ....

3. ....

4. ....

2

1

4

3

2 Complete with the pronouns provided on the right and with the verb *piacere*.

mi   ti

Le

1. ● .... cucinare, Roberto?

   ○ Mah, preferisco andare al ristorante!

2. ● Marina, ... le canzoni degli anni Cinquanta?

   ○ Sì, ... moltissimo.

3. ● Signora Bortone, ... i musical?

   ○ No, veramente non .... molto.

4. ● Vuole venire anche Lei a vedere la mostra di Giacometti?

   ○ Sì, vengo volentieri. .... tanto la scultura.

3 Answer the following questions in a negative way. If you wish, you can vary the answers with the adverbs provided.

molto   proprio

tanto

veramente

● Le piace andare a teatro?

○ *No, non mi piace tanto.*

1. ● Signora, non Le piacciono i gialli?

   ○ *No,* ....

2. ● Ingegnere, Le piace fare sport?

   ○ ....

3. ● Paolo, ti piacciono le orecchiette con i broccoli?

   ○ ....

4 **Complete the text with the preposition *di* followed by the definite article in order to find out how Luisa spent last Sunday afternoon.**

Oggi è domenica, Luisa è da sola e non sa cosa fare. Eppure ci sono molte manifestazioni interessanti in città: c'è la Mostra .... Antiquariato in piazza .... Basiliche, in via .... Nazioni Unite c'è la Festa .... Prosecco e .... Spumante, in piazza .... Duomo la Fiera .... Libro. Ci sono la Mostra .... Etruschi al Museo Archeologico, il festival di Musica Latinoamericana in piazza .... Obelisco e il Teatro .... Marionette in piazza .... Repubblica.

Ma cosa fa Luisa? Resta a casa, guarda la TV e parla al telefono con le amiche.

5 **Write the *participio passato* (*past participle*) of the following verbs.**

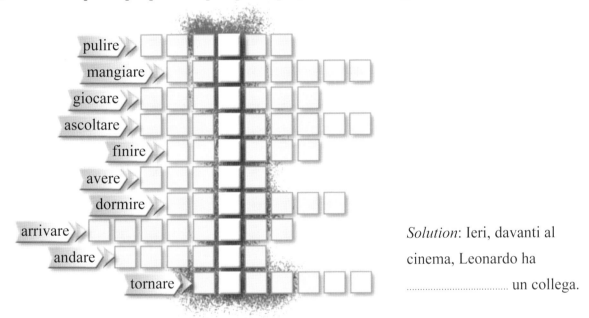

pulire
mangiare
giocare
ascoltare
finire
avere
dormire
arrivare
andare
tornare

Solution: Ieri, davanti al cinema, Leonardo ha .... un collega.

6 **Build some short dialogues as in the example.**

voi ◆ ieri sera *guardare la TV*	● *Che cosa avete fatto ieri sera?* ○ *Abbiamo guardato la TV.*
tu ◆ sabato mattina *pulire la casa*	● .... ○ ....
Enrica ◆ ieri pomeriggio *lavorare in giardino*	● .... ○ ....
Enzo e Gina ◆ lo scorso fine settimana avere ospiti	● .... ○ ....

7 Complete the sentences with the following words. You can use the same word more than once.

Barbara   Alessandro

Silvia e Lucia

Andrea e Giovanni

Anna e Fabio

è   sono

Barbara è .... andata a fare la spesa.

.... venuti con noi a sciare.

.... arrivate stamattina.

.... stato in piscina con gli amici.

.... tornata dal lavoro alle sei.

.... andato al cinema ieri sera.

.... arrivati alle dieci di sera.

.... uscita con Paolo sabato scorso.

.... state al mare per una settimana.

8 Underline the verbs that form the *passato prossimo* (*present perfect*) con *essere* (*to be*).

fare ◆ finire ◆ (essere) ◆ incontrare ◆ uscire ◆ girare ◆ pranzare ◆ arrivare
amare ◆ tornare ◆ lavorare ◆ venire ◆ leggere ◆ andare ◆ ascoltare

9 Underline the correct auxiliary verb.

1. Il fine settimana scorso abbiamo / siamo andati a trovare amici a Torino.
2. Ieri sera mio fratello ha / è tornato dalle vacanze.
3. Sabato ho / sono incontrato la mia collega Luisa al supermercato.
4. Avete / Siete già andate a vedere il nuovo film di Silvio Soldini?
5. Domenica abbiamo / siamo fatto una gita a Venezia.

10 The police are interviewing a couple, Lucia and Roberto, to find out how and where they spent the evening of the murder. Complete their statements putting the verbs in the *passato prossimo* form (*present perfect*) and write down the two sentences that contradict each other.

Lucia Gabrielli:

«Ieri pomeriggio .... (*essere*) da mia sorella e ....

.... (*tornare*) a casa verso le otto. Pochi minuti dopo ....

.... (*telefonare*) Roberto. Roberto .... (*venire*) a

casa mia verso le nove e .... (*uscire*) insieme. ....

.... (*andare*) al ristorante *da Luciano* e ....

.... (*essere*) lì dalle nove e mezzo alle undici circa.»

Roberto Giani:

«Ieri .... (*lavorare*) fino alle sette e mezzo. Verso le otto ....

.... (*parlare*) al telefono con la signora Gabrielli, la mia ragazza. Subito

dopo .... (*andare*) da lei. ....

(*arrivare*) a casa sua alle otto e venti circa. E verso le nove ....

(*uscire*) per andare a mangiare al ristorante *da Luciano*.»

Lucia: « ....»

Roberto: « ....»

11 **Write down the infinitive form of the following past participles.**

.... – fatto   .... – stato   .... – vissuto

.... – chiuso   .... – aperto   .... – venuto

12 **This is Carla with her husband and children. Write a small composition in the *passato prossimo* (*present perfect*) form on Carla's life based on the most important dates and moments of her life.**

1917: nasce a Lucca
1928: finisce le scuole
1935-1941: lavora come sarta
1938: conosce suo marito
1943: nasce suo figlio
1950: nasce sua figlia
       vive sempre a Lucca con la
       famiglia
1998: va a vivere dalla famiglia di suo
       figlio

Carla è nata

....

....

....

....

....

....

....

....

....

....

....

....

....

....

....

....

....

....

13 **A riddle.**

Due padri e due figli sono seduti insieme a tavola ma da mangiare hanno solo tre panini e un po' di formaggio. Come hanno fatto se alla fine del pranzo hanno mangiato un panino per uno?

14 **Observe the family tree and write down the different family relationships.**

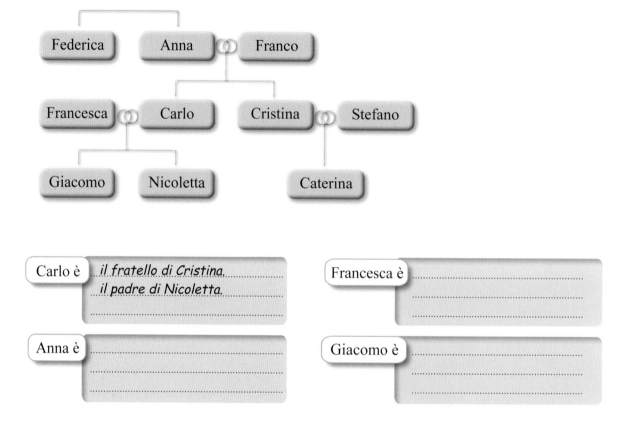

Carlo è *il fratello di Cristina.*
il padre di Nicoletta.
....

Francesca è ....
....
....

Anna è ....
....
....

Giacomo è ....
....
....

15 **Complete with the possessive adjectives and the definite articles.**

io		tu		lei/lui	
....	amico	....	compleanno	....	fratelli
....	sorelle	....	lettera	....	nome
....	amici	....	libri	....	amiche
....	famiglia	....	figlie	....	bicicletta

noi		voi		loro	
....	vacanze	....	nipoti	....	figli
....	quartiere	....	camere	....	casa
....	parenti	....	lavoro	....	colleghe
....	festa	....	ditta	....	giardino

That's Allegro

16 **Antonio celebrated his birthday with friends and relatives. Complete the text with possessive adjectives and, if necessary, the definite articles.**

«Sono venute circa venticinque persone: la mia ragazza,

.... madre, ... sorelle, ... nipoti,

.... fratello e .... cognata. E poi ....

amico Paolo, ... colleghe Adriana e Beatrice e altri

amici. È venuta anche la famiglia della .... ragazza:

.... padre, ... due fratelli con ....

mogli e .... figli. Ah, è stata proprio una bella festa!»

17 **Rearrange the sentences of the letter that Eleonora wrote to Rossella.**

venuti tutti i nostri parenti e abbiamo

per il regalo. La festa

tornati a casa molto tardi. E tu

caro abbraccio. Eleonora

mangiato in un ristorante a Como.

fatto una passeggiata sul lungolago e siamo

Dopo pranzo abbiamo

è stata bellissima. Sono

Tanti saluti e un

adesso come stai?

Cara Rossella,

mille grazie

....

....

....

....

....

....

....

....

18 **Observe the pictures and write the corresponding celebration.**

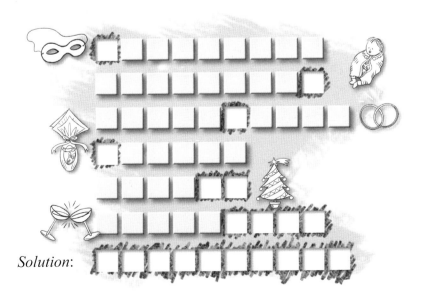

Solution:

10 Li vuole provare?

1 What are the two mannequins wearing? Write down in each box the names of the clothing items.

2 Gina and Luciana bought many clothes on sale.
Complete the adjectives with their correct endings.

Gina ha comprato una gonna grigi...., una camicetta bianc..... elegant...., un paio di scarpe beig..... e una bella borsa dello stesso colore. Per suo marito ha trovato una cintura marron..... e un maglione classic..... bl...... Luciana invece ha comprato un paio di pantaloni sportiv..... ros...., una giacca celest...., scarpe marron..... comod..... e una maglietta arancion..... per sua nipote.

3 Complete the dialogue with the prepositions *di*, *da* and *a*.

- Quante cose carine! Guarda la gonna .... quadri, ti piace?

○ Sì, e anche il maglione rosa .... cotone è carino.

- E il foulard .... seta .... fiori? Bello, no?

○ Mah, no, non mi piace molto. Però i pantaloni .... pelle sono proprio belli.

- Ma tu guarda, ci sono già i costumi .... bagno!

○ Non è un po' presto? Andiamo ancora in giro con il maglione .... lana!

4 **What did Angelo receive for his birthday?**

....

....

....

....

....

5 **Complete the dialogue with the following sentences.**

Lo posso provare in blu? ◇ Mmh... è carino. Però questo rosso... non so.

◇ La 44. ◇ Senta, vorrei vedere il vestito rosso che è in vetrina. ◇

Va benissimo. Lo prendo, perché è proprio carino. ◇ No, grazie, va bene così.

● Buongiorno.

○ Buongiorno, signora!

● ....

○ Sì. Ecco.

● ....

○ C'è anche in blu e in bianco, se preferisce.

● ....

○ Certo. Che taglia porta?

● ....

○ Allora, come va?

● ....

○ Bene. Vuole vedere qualcos'altro?

● ....

6 **When you buy clothes, what do you say if...**

... you want to see some trousers in the shop window?

....

... you want to try them on?

....

... you prefer the black trousers?

....

7 Complete the dialogue with the verb *volere* (*to want*).

- • Pronto, Paola, sono Luca.
- ○ Ah, ciao, Luca!
- • Senti, allora che facciamo stasera?
- ○ Eh, non so bene. Marco .... andare anche stasera al Festival del Cinema, io invece vorrei vedere un po' di gente, non .... passare un'altra serata al cinema... E tu e Lidia, invece, che cosa .... fare?
- • Dunque, prima ho parlato con Raffaele e Sabina e anche loro .... andare al cinema. Poi però ho sentito Saverio che stasera fa una festa in terrazza e mi ha detto che se (noi) ...., possiamo andare da lui.
- ○ Questa sì che è una buona idea! .... provare tu a parlare con Marco?

8 Conjugate the verb *dire*. You can use each syllable more than once.

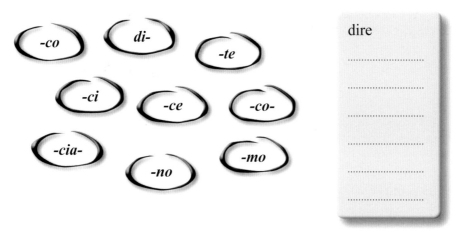

dire

....
....
....
....
....
....

9 Complete with the direct object pronouns on the right.

1. • Ti è simpatico il ragazzo di Margherita?
   ○ Non tanto, ... trovo un po' arrogante.

2. • Sono pronte le foto delle vacanze?
   ○ Sì, ... vuoi vedere?

3. • È questa la maglietta che hai comprato per Elisa?
   ○ Sì, però .... devo cambiare perché è un po' stretta.

4. • Inviti anche Pia e Gino al battesimo di Anna?
   ○ Certo che .... invito.

5. • Hai letto l'ultimo romanzo di Tabucchi?
   ○ Ancora no. Ma .... voglio leggere quest'estate.

6. • Ti piacciono questi bicchieri colorati?
   ○ Sì, ... trovo molto originali.

lo

la

li

le

10 Complete the dialogue with the direct object pronouns and the adjectives provided.

- Vorrei vedere un completo per un matrimonio.
- .... preferisce con i pantaloni o con la gonna?
- Con i pantaloni.
- Allora... c'è questo completo qui che è molto ....
- Con questi pantaloni così larghi?!
- .... preferisce più ....? Allora guardi se Le piace questo con la giacca corta.
- No, la giacca non mi piace. .... vorrei un po' più ....
- Guardi allora quest'altro completo. Come .... trova?
- Non è male... Ma non è un po' troppo ....?
- Ma no, signora, è un completo di seta, è semplice ed elegantissimo.
- Va bene, allora .... provo.

lungo   elegante   sportivo   stretto

11 Where can we buy these products? Observe the pictures and write down the name of the shop, as in the example.

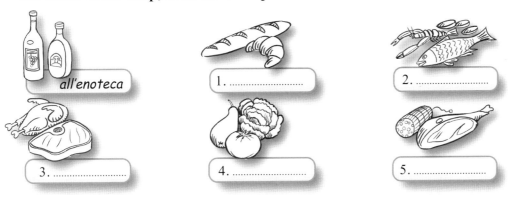

all'enoteca

1. ....
2. ....
3. ....
4. ....
5. ....

12 You go shopping at the open-air market. Complete the dialogue.

- A chi tocca?

Say it's your turn.

○ ....

- Mi dica!

You want some apples.

○ ....

- Quante?

You want two kilos.

○ ....

- Ecco. Altro?

Also ask for half a kilo of grapes.

○ ....

....

- Bianca o nera?

You prefer "white" grapes.

○ ....

Say yes and ask for four yellow peppers as well.

Say that is all and thank him/her.

- Mezzo chilo, vero?

  ○ ....

  ....

- Ecco l'uva e i peperoni. Altro?

  ○ ....

13 **Complete the crossword puzzle with names of foods.**

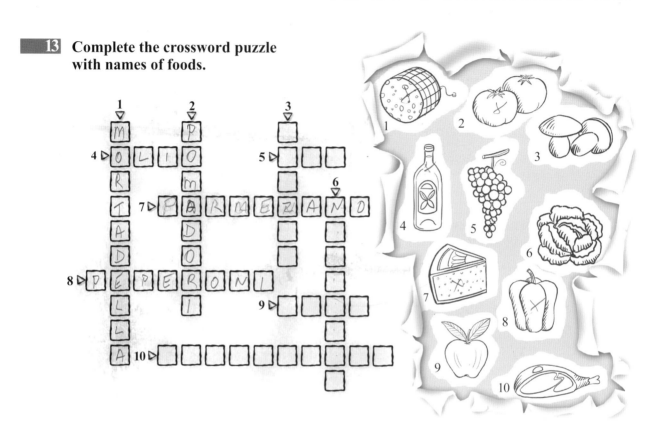

8 ▷ P E P E R O N I

7 ▷ P A R M E Z A N O

4 ▷ O L I O

Down: M O R T A D E L L A, P O M A D O I

14 **Ramona receives an unexpected visit from some friends. Observe the picture and write down what she can offer her guests to drink and what she can prepare for dinner.**

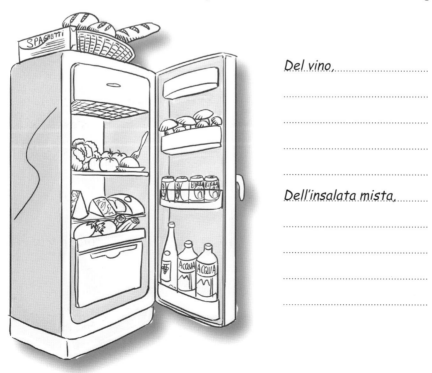

Del vino, ...

....

....

....

....

Dell'insalata mista, ...

....

....

....

....

15 Gabriele has just got his driving license. He drives to the supermarket to do some grocery shopping for his mother. Complete the grocery list indicating the quantity or the type of container.

«Allora senti, Gabriele, compra l'acqua minerale, delle .... di coca cola e tre

.... di Pinot Grigio. Poi due .... di marmellata – prendi quella

che preferisci tu – , un .... di biscotti e due .... di spaghetti. Ah,

e poi quattro .... di pomodori pelati e due .... di patate. Compra

anche tre .... di mortadella, ma guarda se è buona. Hai scritto tutto?»

16 Complete the text with the preposition *di*, or with the partitive article (*del, dello*, etc.).

Oggi Maria è andata al supermercato a fare la spesa. Ha comprato tre pacchi .... pasta,

quattro scatole .... pomodori pelati, ... acqua minerale, mezzo chilo .... pane,

.... biscotti, un chilo .... pesche, ... arance e .... spinaci, un po' .... basilico,

un litro .... olio, ... zucchero e un pacchetto .... caffè.

17 Complete with the quotes provided below.

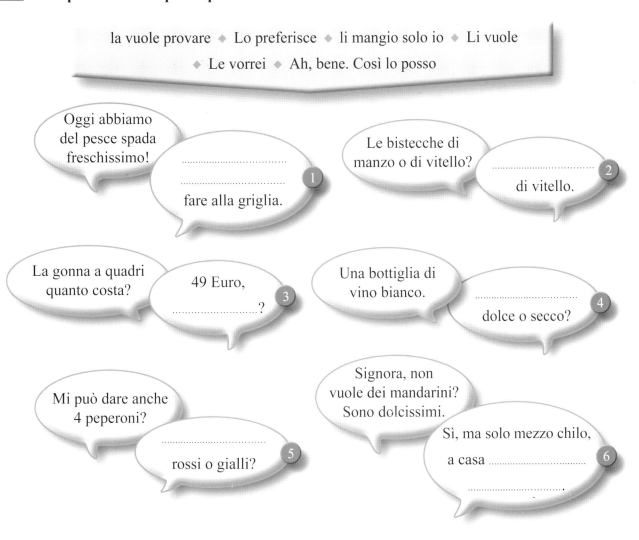

la vuole provare ◆ Lo preferisce ◆ li mangio solo io ◆ Li vuole
◆ Le vorrei ◆ Ah, bene. Così lo posso

Oggi abbiamo del pesce spada freschissimo!
....
....
fare alla griglia. **1**

Le bistecche di manzo o di vitello?
....
di vitello. **2**

La gonna a quadri quanto costa?
49 Euro,
....? **3**

Una bottiglia di vino bianco.
....
dolce o secco? **4**

Mi può dare anche 4 peperoni?
....
rossi o gialli? **5**

Signora, non vuole dei mandarini? Sono dolcissimi.
Sì, ma solo mezzo chilo, a casa ....
.... **6**

11 Cosa fate in vacanza?

1 **Complete the text with the expressions provided below.**

> bel tempo ◆ gente ◆ siti archeologici ◆ cucina ◆ vegetazione mediterranea

Siete mai stati in Campania? È una regione poco conosciuta ma molto interessante. Il clima è fantastico, c'è quasi sempre .... e ci sono molte cose da vedere, i .... di Pompei e Ercolano, la Costa Amalfitana con la sua .... e il mare azzurro, il Vesuvio e Napoli con le sue chiese e i suoi palazzi. La .... ha una mentalità molto aperta e la .... è eccellente.

2 **Complete the text with simple or compound prepositions.**

Quest'anno quasi tutti i miei amici vogliono passare le vacanze .... Italia. Anna va con la famiglia in campeggio .... Lago di Garda, Barbara e Peter vanno .... Sicilia e Maria va .... Veneto per passare due settimane .... mare. Thomas va .... Marche come ogni anno, Sandra e il suo ragazzo vanno .... Dolomiti per fare escursioni a piedi. Luisa invece va .... Capri ed io forse vado con lei: Capri è un'isola così bella!

3 **Replace the words in bold with the expressions provided on the right.**

La settimana prossima **vado in** Sicilia.
La settimana prossima parto per la Sicilia.

1. Alla gente piace fare **tante cose** diverse.

   ....

2. In vacanza **non mi alzo prima delle** 10.

   ....

3. Io in vacanza **sono sempre attivo**.

   ....

parto per la ✔

resto a letto fino alle

mille attività

non mi riposo mai

4 Complete with the reflexive pronouns provided.

mi   ti   si   ci   vi   si

.... divertono   .... alzi   .... rilasso   .... divertite

.... prepari   .... annoiate   .... riposa   .... godiamo

.... rilassano   .... preparo   .... svegliamo   .... annoia

5 Complete the letter with the verbs provided.

Caro Roberto,

come stai? Finalmente ho un po' di tempo per scriverti. Siamo qui in
campeggio da lunedì. Riccardo e Miriam .... molto,
la mattina .... tardissimo e vanno in spiaggia solo di
pomeriggio.

Fabio ed io invece .... abbastanza presto, passeggiamo
sul lungomare e .... la natura.

La mamma resta spesso in pineta e .... all'ombra con
un buon libro. Questa volta Barbara non è venuta con noi, al mare lei
............................, è andata con Armando a Parigi.

divertirsi

svegliarsi

alzarsi

godersi

rilassarsi

annoiarsi

6 Gino and Nina talk about their habits while on vacation. What do they usually do? What do they never do? Observe the pictures and write a short text.

CAMPEGGIO

HOTEL ALBA

SALUTI

«*In vacanza noi* ....
....
....
....
....
....
....
....
....
....
....
....
.... »

7 Insert the names of the months based on the numbers shown.

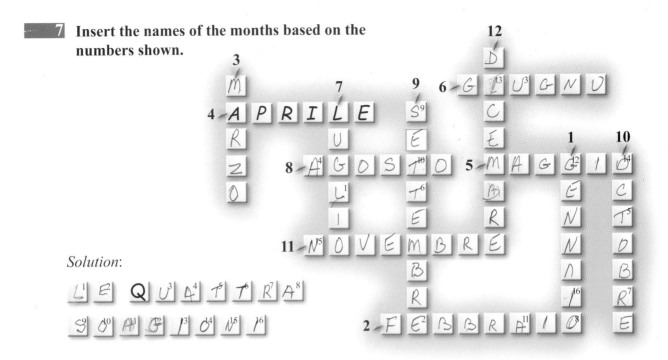

Solution:

LE QUATTRA SOAGIONI

8 During a vacation in Verona, Italy, you walk into a tourist information office to ask about the *Sagra di Sant'Antonio* in Padua. Complete the dialogue.

● Buongiorno.

Greet back and ask for information.

○ ....

● Sì, mi dica.

Ask the employee if he/she knows when the Sagra di Sant'Antonio in Padua takes place.

○ ....

....

● Il tredici giugno.

You are happy that the Sagra is next Sunday and ask for information on how to get there.

○ ....

....

● Beh, da qui può prendere il treno o la corriera. Il treno impiega circa un'ora, la corriera circa 50 minuti. Vuole sapere gli orari?

Say yes, thank him/her and ask the employee about the train schedule only.

○ ....

....

● Va bene. Quando vuole partire?

Say you want to leave in the morning.

○ ....

● Ecco, allora la mattina c'è un treno diretto da Verona Porta Nuova che parte alle otto, e dopo c'è un treno quasi ogni ora.

Thank him/her and say goodbye.

○ ....

● Prego. Arrivederci.

9 **Insert the words from the definitions below and discover the name of an Italian city.**

1. percorso a piedi durante una festa religiosa
2. indica l'ora di partenza e di arrivo dell'autobus
3. un mezzo molto veloce sul mare
4. trasporta gente e macchine alle isole
5. una persona che viaggia per divertimento
6. treno, macchina e autobus sono...

7. spettacoli di luci

Solution:

10 **Form the adverb as in the example.**

1. raro   *raramente*
2. finale   ....
3. veloce   ....
4. diretto   ....

5. naturale   ....
6. regolare   ....
7. vero   ....
8. attuale   ....

11 **Adjective or adverb?**

- Sai dove vanno quest'anno Aldo e Marina in vacanza?
- Mah, hanno detto che vogliono passare delle vacanze

  ....

- Davvero?! .... fanno dei viaggi all'estero,

  in paesi esotici...

- Eh sì, loro amano l'avventura, sempre esperienze

  ...., mai una vacanza ....

- Figurati, Marina ha fatto .... anche un corso di

  paracadutismo!

- E invece questa volta passano a trovare i genitori di lei e poi

  vanno .... a Jesolo.

- Che strano! Secondo me è in arrivo la cicogna.

tranquillo

normale

diverso

normale

recente

diretto

12 Look at the map and write what the weather is like in the various Italian cities.

A Bolzano ....

A Trieste ....

A Milano ....

A Bologna ....

A Roma ....

A Bari ....

13 Answer the questions as in the example.

Quando siete arrivati in campeggio? (*due giorni*)
Siamo arrivati due giorni fa. ....

da

fa

fra

1. Da quanto tempo sono a Sorrento i Rossi? (*dieci giorni*)
....

2. Quando tornate a casa? (*una settimana*)
....

3. Quando finiscono le vostre vacanze? (*sei giorni*)
....

4. Quando hai cominciato ad imparare l'italiano? (*un anno*)
....

5. Da quanto tempo non vai a trovare tua madre? (*un mese*)
....

14 Write down the nouns that correspond to the following verbs.

1. cucinare   *la cucina* ....   5. viaggiare ....
2. prenotare ....   6. lavorare ....
3. arrivare ....   7. studiare ....
4. partire ....   8. informare ....

15 Today is September 18 and Luisa is on vacation in Veneto. She tells a friend
over the phone what she has already done and what else she is planning to do.
Read the information written on the calendar and write a short text.

Settembre		
15	lunedì	arrivo in Italia pomeriggio a Bolzano
16	martedì	Lago di Garda barca a vela
17	mercoledì	Verona concerto
18	giovedì	Jesolo spiaggia
19	venerdì	Venezia gita a Murano e a Burano
20	sabato	Padova Cappella degli Scrovegni
21	domenica	ritorno a casa

«*Tre giorni fa sono arrivata in Italia.*

....

....

....

....

....

....

....

....

....

....

....

....

....

....»

16 Write a postcard to friends following the instructions provided.

Siete in vacanza in Toscana, a Siena ◆ Siena è molto bella ◆ il tempo è bello

◆ c'è il sole e fa caldo ◆ ieri siete andati a vedere (la Chiesa di) San Gimignano

Grammar Overview

Contents

Accent and Intonation

▶1 The accent

Most Italian words are stressed on the second-from-last syllable. Some words, however, are stressed on the third-from-last or fourth-from-last syllable. Lastly, some words are stressed on the last syllable. In this case, the final vowel has a written accent mark.

libro, conosco, interessante	■ Accent on the second-to-last syllable
medico, abito, vengono, facile	■ Accent on the third-to-last syllable
telefonano, abitano	■ Accent on the fourth-from-last syllable
città, caffè, novità	■ Accent on the last syllable

Attention: In Italian, the accent is only marked in a few cases. The underlined vowel in the examples above is only there to facilitate the pronunciation. Moreover, when we have two identical monosyllabic words, one has a written accent mark, the other does not: *sì* (adverb) - *si* (pronoun), *là* (adverb) - *la* (feminine article).

Intonation

A question and a statement often have the same word order. What changes is the intonation, i.e. the tone of the voice (see melodic curve).

	melodic curve of the sentence	*type of sentence*
Mauro abita in Svizzera.		statement
Mauro, abita in Svizzera?		question without a pronoun
Abita in Svizzera Mauro?		or interrogative pronoun
Dove abita Mauro?		question with a pronoun or interrogative pronoun

The noun

▶2 The gender of nouns

In Italian, the noun is either masculine or feminine and ends in a vowel, with the exception of a few foreign words.

masculine	*feminine*	
il libro	la casa	■ Nouns ending in -o are usually masculine.
il ristorante	la notte	■ Nouns ending in -a are usually feminine.
il tennis		■ Nouns ending in -e are either masculine or feminine.
		■ There are very few nouns ending in a consonant and they are usually masculine.

In Italian, there are also:
feminine nouns ending in **-o**: *l'auto*, *la foto*, *la radio*;
feminine nouns ending in a consonant: *l'e-mail*, *la star*, *la pole position*;
masculine nouns ending in **-a**: *il cinema*, *il problema*, *il turista*.

Names of professions

Some names of professions have different endings for the feminine or masculine gender.
Some others instead, have the same ending for both genders.

masculine	feminine	
l'impiega**to**	l'impiega**ta**	■ Most masculine names of professions ending in **-o** and **-e** will end in **-a** in the feminine form.
l'infermie**re**	l'infermie**ra**	
lo studen**te**	la studen**tessa**	■ Some masculine names in **-e** end in **-essa** in the feminine.
il dotto**re**	la dotto**ressa**	
il programma**tore**	la programma**trice**	■ Masculine nouns ending in **-tore** will end in **-trice** in the feminine.
il tass**ista**	la tass**ista**	■ Masculine nouns ending in **-ista**, **-ante**, and **-ese** do not usually change in the feminine.
l'insegn**ante**	l'insegn**ante**	
il cli**ente**	la cli**ente**	
il franc**ese**	la franc**ese**	

Attention:

■ For the professions *medico*, *ingegnere* and *architetto*, there is only the masculine form, used to refer to women as well:
Maria fa il medico.
La signora Brunetti è un buon ingegnere.
Mia moglie è architetto.

■ When the nouns *ingegnere*, *dottore* and *professore* are followed by the name of a person, they lose the last vowel (from *-re* to *-r*):
L'ingegner Gambini abita a Firenze.
Le presento il dottor Franchi.
Di dov'è il professor Pancheri?

■ The noun *signore*, when followed by the name of a person, also loses the last vowel (from *-re* to *-r*). The noun *signora* instead, is often used alone:
Buongiorno, signor Fabiani.
But: *Mi dica, signora!*

Singular and Plural

singular	plural		
il libr**o**	i libr**i**	o ⇨ i	■ Nouns ending in **-o** or in **-e** usually form the plural in **-i**.
il ristorant**e**	i ristorant**i**	e ⇨ i	
la nott**e**	le nott**i**		■ Nouns ending in **-a** usually end in **-e** in the plural.
la cas**a**	le cas**e**	a ⇨ e	
il ba**r**	i ba**r**		■ Nouns ending in a consonant or with a written accent mark on the final vowel do not change in the plural.
la citt**à**	le citt**à**		

Some nouns are almost always used in the singular form or the plural form.
In the singular only: *la gente*, *il coraggio*, *il pepe* and others.
In the plural only: *i pantaloni*, *le ferie*, *i soldi*, *gli spinaci* and others.

That's Allegro

Peculiarities in the formation of the plural

singular	plural		
il proble**ma**	i proble**mi**	a ⇆ i	■ Masculine nouns ending in **-a** end in **-i** in the plural.
il nego**zio**	i nego**zi**	io ⇆ i	■ Nouns that end in **-io** in the singular (atone **i**) end in **-i** in the plural.
lo z**io**	gli z**ii**	io ⇆ ii	■ Nouns that end in **-io** in the singular (tonic **i**), end in **-ii** in the plural.
il tedes**co**	i tedes**chi**	co ⇆ chi	■ With nouns ending in **-co**, **-go**, **-ca** and **-ga**, you insert an **h** in the plural to preserve the [k] or the [g] sounds.
l'alber**go**	gli alber**ghi**	go ⇆ ghi	
l'ami**ca**	le ami**che**	ca ⇆ che	■ Masculine nouns ending in **-co**, end in **-ci** in the plural if they have an accent on the third-from-last syllable. *l'amico - gli amici* is an exception.
la botte**ga**	le botte**ghe**	ga ⇆ ghe	
il m<u>e</u>di**co**	i m<u>e</u>di**ci**	co ⇆ ci	
l'aran**cia**	le aran**ce**	cia ⇆ ce	■ Nouns ending in **-cia/-gia** end in **-ce/-ge** in the plural when there is a consonant before the letters **c** and **g**. They end in **-cie/-gie** when there is a vowel before the letters **c** and **g** or when the **i** has a written accent mark.
la spiag**gia**	le spiag**ge**	gia ⇆ ge	
la cami**cia**	le cami**cie**	cia ⇆ cie	
la farma<u>ci</u>**a**	le farma<u>ci</u>**e**	c<u>i</u>a ⇆ c<u>i</u>e	

Some nouns have an irregular form in the plural: *la moglie - le mogli, l'uomo - gli uomini*.

The article

5 Definite and indefinite articles

		Indefinite article	Definite article	
masculine			*singular*	*plural*
before a word beginning with a consonant		**un** libro	**il** libro	**i** libri
before a word beginning with a vowel		**un** amico	**l'**amico	**gli** amici
before a word beginning with **s** + consonant		**uno** studente	**lo** studente	**gli** studenti
before a word beginning with **z**, **gn**, **y**, **ps**		**uno** zio	**lo** zio	**gli** zii
feminine				
before a word beginning with a consonant		**una** casa	**la** casa	**le** case
before a word beginning with a vowel		**un'**amica	**l'**amica	**le** amiche

■ Nouns with the beginning sound **gn**, **y** and **ps**: *gli gnocchi, lo yoga, lo psicologo*.

6 Use of the definite article

Le presento **la** signora Rossi.
Il signor Gambini oggi non viene.
Il dottor Rivelli è di Torino.
But: Buongiorno, signor Rossi.

In Italian, we use the definite article with:
■ *signore/signora* + name of person;
■ professional title + name of person (see also *Point 3 - Names of professions*). When we talk directly to someone, we do not use the article;

L'Italia è bella.
Conosci **la** Liguria / **la** Sardegna?
But: Andiamo in Toscana.

Sono **le** dieci. / È **l'**una.

Parli bene **l'**italiano.

C'è **la** piscina?
Non ho **la** macchina.

Ti piace **la** musica classica?

Ecco **il** mio collega Carlo.

- names of countries, regions, and many big islands. We do not use the article when there is the preposition *in* (see also *Point 27* on page 164);

- telling time (see also *Point 30* on page 167);

- languages;

- something that is there or is part of something or to indicate something you own;

- common names;

- the possessive adjectives (see also *Point 10* on page 157).

→ 7 **Compound prepositions (simple preposition + definite article)**

The prepositions **a**, **da**, **in**, and **su** form one word with the definite article. For example: **a + il = al** *cinema*, **da + il = dal** *parrucchiere*, **di + le = delle** *foto*.

	il	l'	lo	la	i	gli	le
a	al	all'	allo	alla	ai	agli	alle
da	dal	dall'	dallo	dalla	dai	dagli	dalle
di	del	dell'	dello	della	dei	degli	delle
in	nel	nell'	nello	nella	nei	negli	nelle
su	sul	sull'	sullo	sulla	sui	sugli	sulle

- Sometimes the preposition *con* forms one word with the article *il* and *i*: *col padre*, *coi bambini*. On the use of prepositions, see also *Points 27, 28* and *29*.

→ 8 **The partitive**

C'è ancora **del** pane?
Compro **della** mortadella.

Vorrei **dei** pomodori.
Prendo **delle** arance.

- We use the partitive to indicate part of a quantity. It is formed with the preposition *di* + definite article.
- We do not use the partitive in negative statements: *Non ci sono pomodori*.

→ 9 **The preposition *di* with terms of quantity, measurement and weight**

un litro **di** olio d'oliva
tre etti **di** salame

un pacco **di** biscotti
due bottiglie **di** vino

- We place the preposition *di* between terms that indicate quantity, measurement or weight (for example *scatola*, *pacco*, *lattina*, *bottiglia*, *litro*, *chilo*, *etto*) and the noun that follows. Also with *un po'*: *un po' di basilico*.

Be careful:
We do not place the article before **mezzo/mezza**: *Vorrei mezzo chilo d'uva*.

10 The possessive adjectives

Singular nouns		Plural nouns	
masculine	*feminine*	*masculine*	*feminine*
il mio amico	la mia amica	i miei amici	le mie amiche
il tuo	la tua	i tuoi	le tue
il suo / il Suo	la sua / la Sua	i suoi / i Suoi	le sue / le Sue
il nostro	la nostra	i nostri	le nostre
il vostro	la vostra	i vostri	le vostre
il loro	la loro	i loro	le loro

- Possessive adjectives agree in gender and number with the nouns to which they refer: **il suo** *lavoro* (his or hers), **la sua** *famiglia* (his or hers), **le mie** *vacanze*. Only *loro* is invariable.
- The definite article almost always comes before the possessive adjective. We do not use the definite article with family nouns in the singular, but it is mandatory in the plural: **mio** *fratello*, **nostra** *zia*, but: **i miei** *fratelli*, **le nostre** *zie*.
  The article is mandatory also with the possessive adjective *loro*: **il loro** *figlio*.
- When we speak formally to someone, we use *Suo* (*Sua, Suoi, Sue*), for one person only: *Signora, ecco* **la Sua** *camera*. *Vostro* (*vostra, vostri, vostre*), for more people. In formal situations we can also use *loro*: *Signori, ecco* **la vostra/la loro** *camera*.

The adjective

11 Singular and plural

In Italian, there are two groups of adjectives according to their endings:

singular	*plural*		
svizzero	svizzeri	o ⇔ i	■ Adjectives with four endings: masculine singular -**o**, singular feminine -**a**;
svizzera	svizzere	a ⇔ e	masculine plural -**i**, plural feminine -**e**.
olandese	olandesi	e ⇔ i	■ Adjective with two endings: masculine and feminine singular: -**e**; masculine and feminine plural -**i**.

12 Agreement between adjective and noun

singular	*plural*	
un lavoro creativo	dei lavori creativi	■ Adjectives agree, in gender and number, with the noun they refer to.
una persona creativa	delle persone creative	
un lavoro interessante	dei lavori interessanti	
una persona interessante	delle persone interessanti	
Il negozio è chiuso.	I negozi sono chiusi.	
La banca è chiusa.	Le banche sono chiuse.	

The adjective is masculine when it refers to several nouns of different gender: *I negozi e le banche sono chiusi*.
To indicate the highest degree of a quality, we add -**issimo/-a** and we drop the final vowel from the adjective: *La pizza è buonissima*.

Peculiarities in the formation of the plural

The formation of the plural of the adjectives that end in **-co**, **-go**, **-gio** follows the same rules of the nouns (see also *Point 4* on page 155).

Singular		*Plural*		
masculine	*feminine*	*masculine*	*feminine*	
tedes**co**	tedes**ca**	tedes**chi**	tedes**che**	co / ca ⇔ chi / che
lun**go**	lun**ga**	lun**ghi**	lun**ghe**	go / ga ⇔ ghi / ghe
austri**aco**	austri**aca**	austri**aci**	austri**ache**	co / ca ⇔ ci / che
gri**gio**	gri**gia**	gri**gi**	gri**gie**	gio / gia ⇔ gi / gie

→ 13 Adjectives describing colours

singular	*plural*
un vestito ross**o**	dei pantaloni ross**i**
una gonna ross**a**	delle scarpe ross**e**
un vestito blu	dei pantaloni blu
una gonna blu	delle scarpe blu

- Most adjectives describing colour agree, just as other adjectives, in gender and number with the noun they refer to (*azzurro*, *bianco*, *celeste*, *giallo*, *grigio*, *nero*, *rosso* and *verde*; in spoken Italian also *arancione* and *marrone*).
- The following colour adjectives however, do not change: *beige*, *blu*, *rosa*, *viola*.

The position of the adjective

In the Italian language, the adjective is usually placed immediately next to the noun that it refers to.

Uno studente **italiano** Un vestito **bianco** Un tè **freddo** La musica **classica** Un lavoro **interessante**	■ The adjectives that express a characteristic, nationality, colour and shape follow the noun.
Una **grande** piscina Un **piccolo** albergo *But*: Un vestito **troppo piccolo** Una pizzetta **molto buona** Una casa **grande** e **bella**	■ When adjectives such as: *bello*, *brutto*, *buono*, *grande*, *piccolo*, *giovane*, *lungo*, are accompanied by an adverb (for example *molto*, *poco*, *troppo*) they follow the noun.

→ 14 The adverb

The adverb modifies or specifies the meaning of a sentence. It is invariable and can refer to a verb, an adjective, another adverb or to a whole sentence.

Mio marito cucina **raramente**.
Siamo **proprio** contenti.
Sto **abbastanza bene**.
Naturalmente, tutti lo devono fare.

We distinguish between simple adverbs and derived adverbs. Simple adverbs such as *qui*, *adesso*, *sempre*, *bene*, *male*, *sopra*, *sotto*, *tardi*, *spesso* and the adverbs derived from an adjective by adding the suffix *-mente*.

Adjective	Adverb	
vero / vera	**veramente**	■ We add the suffix **-mente** • to adjectives ending in **-o** in the feminine;
veloce	**velocemente**	• to adjectives ending in **-e** in the invariable form of the adjective.

■ Adjectives ending in **-le** and **-re** lose their final vowel:
naturale - naturalmente, particolare - particolarmente

■ To the adjectives *buono* and *cattivo*, correspond the adverbs *bene* and *male*:
La pizza è molto buona.   *- All'osteria Da Franco abbiamo mangiato molto* **bene**.
Oggi sono di cattivo umore.   *- Sto abbastanza* **male**.

Subject or direct object pronouns

Within a sentence, these pronouns can replace either a subject (for example: *io*, *tu*, *lui*) or an object (for example: *me*, *te*, *lui*).

→ 15 Subject pronouns

singular	plural	
io	**noi**	When we talk to someone in a formal way (*forma di cortesia*), we use
tu	**voi**	■ the third person singular for one person only: *È di Milano anche Lei?*
lui	**loro**	■ the second person plural for more people: *Siete di Milano anche voi?*
lei		
Lei		

Be careful:
In Italian, unlike other European languages such as English, French or German, it is not necessary to express the subject pronoun in a sentence. As a matter of fact, the ending of the verb often indicates who the subject is: *Lavoro a casa*.
It is, however, necessary to express the subject pronoun in order to clarify or emphasize, after *anche* and *neanche* or when the verb is missing: **Io** *sono di Milano. E* **tu?**

→ 16 Direct object pronouns in the third person, singular and plural

singular	plural	
lo	**li**	■ Usually, we place direct object pronouns before the verb: **Li** *posso provare?*
la	**le**	
La		

Be careful:
■ We place the negative particle *non* before the direct object pronoun: **Non li** *prendo*.
The pronouns *lo*, *la*, *li* and *le* agree in gender and number with the person or object they replace:
Conosci il signor Carlini? - **No, non** lo *conosco*.
Quando vedi Antonella? - **La** *vedo domani*.
Prendi tu i biglietti? - **Sì, li** *prendo io*.

Chi compra le fettuccine? - **Le** *posso comprare io*.
The pronoun *lo* can also replace a whole sentence: *Chi viene alla festa? - Non* **lo so**.

→ 17 The interrogative adjectives or pronouns

		We use the interrogative adjectives or pronouns
chi?	Chi è venuto alla tua festa?	■ for people
che cosa?	Che cosa prendi?	■ for things and facts
come?	Come sono le fettuccine?	■ for a quality/characteristic (things) and for the way of being/personality (people)
dove?	Dove abiti? Dove andiamo stasera?	■ for place, direction
di dove?	Di dove sei?	■ for place of origin
quando?	Quando arrivate a Roma?	■ for time (time, day, and so on)
quale? quali?	Quale cantante ti piace? Quali pantaloni ti piacciono?	■ for people or things as parts of a whole
quanto? quanta? quanti? quante?	Quanto costano? Quanta uva vuole? Quanti peperoni? Quante bottiglie?	■ for quantity or number (be careful: *quanto* agrees in gender and number with the noun it refers to)
come mai? perché?	Come mai vai a Firenze? Perché non vieni alla festa?	■ for the reason, cause or purpose

- ■ Instead of *che cosa?*, in the spoken language we often use *cosa?* e *che?*: *Cosa vuoi? Che vuoi?*
- ■ The interrogatives *dove?* and *come?* usually take the apostrophe if the following word begins with **e**: *Dov'è Maria? Com'è la pizza?*
- ■ We use the interrogative pronoun *quanto?* also to ask about someone's age: *Quanti anni hai?*

The verb

According to the ending of the infinitive, there are three groups of verbs:
- first conjugation in **-are**
- second conjugation in **-ere**
- third conjugation in **-ire**.

-are	-ere	-ire
lavor**are**	ved**ere**	fin**ire**

The present tense

→ 18 Regular verbs

	-are	-ere	-ire	
	lavorare	prendere	aprire	finire
io	lavoro	prendo	apro	finisco
tu	lavori	prendi	apri	finisci
lui, lei, Lei	lavora	prende	apre	finisce
noi	lavoriamo	prendiamo	apriamo	finiamo
voi	lavorate	prendete	aprite	finite
loro	lavorano	prendono	aprono	finiscono

- In Italian, we often use the verb without the subject pronoun: *Lavoro in banca*.
  We use the subject pronoun when we want to point out its role in the action: *Io prendo un caffè, e tu?* (see also *Point 15* on page 159).
- When we talk to someone in a formal way, we use:
  - the third person singular of the verb for one person: *Dove lavora?*
  - the second person plural of the verb for more people: *Quando venite?*
- There are two groups of the verbs ending in **-ire**:
  Like *aprire*: *sentire*, *partire*.
  Like *finire* (and we add **-isc-**): *capire*, *preferire*, *pulire*.
  Be careful: The pronunciation of **-isc-** changes according to the vowel that follows:
  finisco [-sko], *finisci* [-ʃi], *finisce* [-ʃe], *finiscono* [-skono].

Particular verbs

	cercare	pagare	mangiare	leggere	conoscere
io	cerco	pago	mangio	leggo	conosco
tu	cerchi	paghi	mangi	leggi	conosci
lui, lei, Lei	cerca	paga	mangia	legge	conosce
noi	cerchiamo	paghiamo	mangiamo	leggiamo	conosciamo
voi	cercate	pagate	mangiate	leggete	conoscete
loro	cercano	pagano	mangiano	leggono	conoscono

- With verbs ending in **-care** and **-gare** the pronunciation of the letter **c** [k] or **g** [g] does not change. To preserve the same pronunciation, we place an **h** before the letter **i**.
- Verbs ending in **-iare** have one **i** only in the second person singular (*tu*) and in the first person plural (*noi*).
- With verbs ending in **-gere** and **-scere**, the pronunciation of the letters **g** and **sc** changes according to the vowel that follows (**e** or **i/e**): *leggo* [-go], *leggi* [-dʒi], *legge* [-dʒe]; *conosco* [-sko], *conosci* [-ʃi], *conosce* [-ʃe].

→ 19 The verbs *avere* and *essere*

	avere	essere
io	ho	sono
tu	hai	sei
lui, lei, Lei	ha	è
noi	abbiamo	siamo
voi	avete	siete
loro	hanno	sono

Avere and *essere* are irregular. Obviously, even in the case of the verb *avere*, we do not pronounce the letter *h*. More irregular verbs at *Point 31* on page 168.

→ 20 Esserci: c'è and ci sono

C'è una banca qui vicino?
C'è Marco?
Ci sono solo due alberghi.
Di fronte alla stazione c'è la posta.
But: La posta è di fronte alla stazione.

We often use the verb *essere* together with the particle *ci*. In the singular *esserci* has the form *c'è*, in the plural *ci sono*.

→ 21 The verb *piacere*

Mi piace leggere.
Le piace la pizza?
Ti piacciono queste scarpe?

We normally use the verb *piacere* in the third person singular or plural.

→ 22 Modal verbs

	potere	dovere	volere
io	posso	devo	voglio
tu	puoi	devi	vuoi
lui, lei, Lei	può	deve	vuole
noi	possiamo	dobbiamo	vogliamo
voi	potete	dovete	volete
loro	possono	devono	vogliono

The modal verbs *potere*, *dovere* and *volere* are irregular. The verb that follows always has to be in the infinitive:
Devo lavorare.

Be careful:
Instead of *voglio* we often use *vorrei*:
Vorrei andare a Roma.
Vorrei un caffè.

→ 23 The reflexive verbs

The reflexive verbs are accompanied by a reflexive pronoun. The pronoun and the verb have to agree.

	riposar**si**	
io	**mi**	riposo
tu	**ti**	riposi
lui, lei, Lei	**si**	riposa
noi	**ci**	riposiamo
voi	**vi**	riposate
loro	**si**	riposano

- We place the reflexive pronoun immediately before the verb:
Mia sorella si chiama Maria.

- We place the negative particle *non* before the pronoun + verb:
In discoteca non mi diverto.

▶ 24 *Passato prossimo* (present perfect)

The *passato prossimo* is a past tense. It is formed with the present tense of the auxiliary verbs *avere* or *essere* + the past participle of the verb.

> Ieri **ho incontrato** Marco e **siamo andati** al cinema insieme.

How to form the past participle

Infinito	lavor**are**	av**ere**	fin**ire**	■ The regular past participles of verbs ending in **-are**, **-ere** and **-ire** end in **-ato**, **-uto** and **-ito**.
Participio	lavor**ato**	av**uto**	fin**ito**	*Be careful*: **Conoscere - conosciuto**

Many verbs, especially of the second conjugation in **-ere**, have irregular forms of the past participle (see also *Point 32* on page 168).
Among those we find:

Infinitive	chi<u>u</u>dere	dire	<u>e</u>ssere	fare	l<u>e</u>ggere	pr<u>e</u>ndere	scr<u>i</u>vere	vedere	venire
Participle	chiuso	detto	stato	fatto	letto	preso	scritto	visto	venuto

How to form the *passato prossimo*

	avere + *Past participle*		essere + *Past participle*	
io	ho		sono	andat**o**
tu	hai		sei	andat**a**
lui, lei, Lei	ha	lavorat**o**	è	
noi	abbiamo		siamo	andat**i**
voi	avete		siete	andat**e**
loro	hanno		sono	

■ In the *passato prossimo* with the auxiliary *avere*, the past participle does not change:
   Maria e Paolo **hanno lavorato** *molto.*
   In the *passato prossimo* with the auxiliary *essere*, the past participle agrees in gender and number with the subject pronoun:
   Il signor Conti **è** **andato** *al lavoro.*   *Luisa non* **è andata** *a scuola.*
   Maria e Paolo **sono andati** *a Roma.*   *Le colleghe* **sono andate** *a casa*.

Negative sentences

▶ 25 The simple negative forms with *no* and *non*

Sei di Roma? **No**, sono di Napoli. Perché **no**?	■ We use the negative adverb ***no*** to replace a whole sentence.
Oggi **non** devo lavorare. **Non** ho tempo. **Non** lo so.	■ We use the negative adverb ***non*** always before the verb or before the pronoun + verb.

→ 26 The double negative

Oggi **non** mangio **niente**.
Paolo **non** esce **mai** con noi.

When there is a double negative, we place **non** always before the verb and **niente** or **mai** always after the verb.

- We do not use **non** when **niente** or **mai** are by themselves or at the beginning of a sentence:
Che cosa hai fatto? - Niente.

Prepositions

→ 27 Prepositions that indicate location

a	Sono **a** Roma.	city
	Vado **alla** posta.	place
	Sono stato **a** Malta, **a** Creta, ...	most islands
in	Sono **in** Italia.	country
	Vado **in** Toscana.	region
	Vorrei andare **in** Sicilia, **in** Sardegna, ...	some islands
	La banca è **in** via Verdi.	street/square
di	Sono **di** Roma.	place of origin
da	Sono **da** Paolo.	person
	Vado **dal** dentista.	
	Vengo **da** Pisa.	starting place
	Vengo **dal** dentista.	(place/person)
per	Un biglietto **per** Firenze.	place of destination
	Scusi, **per** il centro?	
su	Il libro è **sul** tavolo.	position
	Andiamo **sulle** Dolomiti.	mountain/lake

Be careful:
- Before names of cities and many islands we use the preposition *a* without an article: *a Venezia, a Stromboli*.
- The preposition *in* is normally used without article before names of countries, regions or some big islands: *in Svizzera, in Calabria, in Sardegna*.
But: *negli Stati Uniti, nel Friuli Venezia Giulia, nelle Marche*.
- The preposition *in* is also used without an article with names of street/square:
in via Bosco, in piazza Tasso.
- We use different prepositions with lakes and mountains:
al/sul lago di Garda, nelle/sulle Alpi.

Other prepositions that indicate location:

dopo	**dopo** il semaforo
sotto	**sotto** il ponte
accanto a	**accanto all'**edicola
davanti a	**davanti al** cinema
di fronte a	**di fronte alla** stazione
fino a	**fino all'**incrocio
intorno a	**intorno alla** casa
vicino a	**vicino alla** posta

→ 28 Prepositions that indicate time

a	Il treno parte **alle** 10.15.
da	Lavoro qui **da** tre anni.
da ... a	Lavoro **dalle** 9 **alle** 17. Il museo è chiuso **dal** 3 **al** 25 agosto.
fa	Siamo arrivati due giorni **fa**.
fra	Vengo **fra** un'ora.
in	È nato **nel** 1995 Paolo va in ferie **in** luglio.
verso	Torniamo **verso** le 8.

Be careful:
- *Fa* always follows the noun: *un'ora* **fa**.
- With the names of months we generally do not use the article: *maggio*, *in maggio*.
- With the year we place the definite article: *il 1995* (the year 1995), *nel 1995* (in the year 1995).

Other functions of the prepositions

→ 29 Other functions of the prepositions *a*, *di* and *da*

		Expresses, indicates:
a	una camicia **a** quadri	characteristic, particular quality
di	il cellulare **di** Marco un maglione **di** lana un chilo **di** zucchini Compro **del** pane	property, possession fabric, material quantity/weight (see also *Point 9* on page 156) the partitive (see also *Point 8* on page 156)
da	scarpe **da** tennis un vestito **da** 150 euro	purpose, destination, use price, estimate, value

The prepositions

per	Ecco una lettera **per** Giulia. Sono qui **per** imparare l'italiano. Sono qui **per** lavoro.	destination purpose, end, reason
con	Vengo **con** mia moglie.	company, relationship
senza	Parto **senza** Marco.	deprivation

Numbers and prepositions that indicate/express time

Cardinal numbers

0	zero	19	diciannove	101	centouno
1	uno	20	venti	142	centoquarantadue
2	due	21	ventuno	198	centonovantotto
3	tre	22	vendidue	200	duecento
4	quattro	23	ventitré	300	trecento
5	cinque	24	ventiquattro	900	novecento
6	sei	25	venticinque	1000	mille
7	sette	26	ventisei	2000	duemila
8	otto	27	ventisette	10.000	diecimila
9	nove	28	ventotto	1.000.000	un milione
10	dieci	29	ventinove	2.000.000	due milioni
11	undici	30	trenta	1.000.000.000	un miliardo
12	dodici	40	quaranta		
13	tredici	50	cinquanta		
14	quattordici	60	sessanta		
15	quindici	70	settanta		
16	sedici	80	ottanta		
17	diciassette	90	novanta		
18	diciotto	100	cento		

The date

Il **2002** è stato un anno pieno di sorprese.
(il duemiladue)
Sono nato **nel 1998**. (nel millenovecentonovantotto)

Oggi è **il 5 ottobre**. (il cinque ottobre)
Maria è nata **il 2 marzo 1992**. (il due marzo)
Sono arrivato **il 1º maggio**. (il primo maggio)
Vado a Torino **dall'8 al 24 agosto**. (dall'otto al ventiquattro)

- When we talk about the year, we always place the definite article.
- We use the definite article + the cardinal number to express the date. Exception:
  il 1º (*il primo*).
- In letters, this is how you write the date:
  Novara, 18 giugno 2006 or ***Novara, 18/6/2006***.

> 30 The time

Che ore sono? / Che ora è?

8.00 / 20.00	Sono **le** otto. / Sono **le** venti.
1.00 / 13.00	È **l'**una. / Sono **le** tredici.

■ We use the definite article *le* or *l'* (for *l'una* - one o'clock) to answer the question *Che ore sono? / Che ora è?*

12.00	È mezzogiorno.
24.00	È mezzanotte.

■ We do not use the article with the words **mezzogiorno** and **mezzanotte**.

14.30	Sono le due e **mezzo/mezza**.
17.15	Sono le cinque e **un quarto**.
17.55	Sono le sei **meno** cinque.
18.05	Sono le sei **e** cinque.

■ We do not use the article with the words **mezzo/mezza**, whereas we always use the indefinite article with *un quarto*.

A che ora?
Il museo chiude **alle** sei.
Vengo **a** mezzogiorno/**a** mezzanotte.

■ We use the preposition *a* + the definite article to answer the question *a che ora?*: *alle sei*.
With *mezzogiorno* and *mezzanotte* we use *a* only.

Lavoro **dalle** nove **alle** quattro.

■ We use the prepositions *da ... a* + the definite article to indicate a period of time.

Appendix: List of irregular verbs

→31 Irregular verbs in the present tense

andare	avere	bere	dare	dire
vado	ho	bevo	do	dico
vai	hai	bevi	dai	dici
va	ha	beve	dà	dice
andiamo	abbiamo	beviamo	diamo	diciamo
andate	avete	bevete	date	dite
vanno	hanno	bevono	danno	dicono

dovere	essere	fare	piacere	potere
devo	sono	faccio	piaccio	posso
devi	sei	fai	piaci	puoi
deve	è	fa	piace	può
dobbiamo	siamo	facciamo	piacciamo	possiamo
dovete	siete	fate	piacete	potete
devono	sono	fanno	piacciono	possono

sapere	stare	uscire	venire	volere
so	sto	esco	vengo	voglio
sai	stai	esci	vieni	vuoi
sa	sta	esce	viene	vuole
sappiamo	stiamo	usciamo	veniamo	vogliamo
sapete	state	uscite	venite	volete
sanno	stanno	escono	vengono	vogliono

→32 Irregular verbs in the past participle

aprire	aperto	essere	stato	rispondere	risposto
bere	bevuto	fare	fatto	scrivere	scritto
chiudere	chiuso	leggere	letto	sorridere	sorriso
convincere	convinto	mettere	messo	vedere	visto
dire	detto	nascere	nato	venire	venuto
discutere	discusso	prendere	preso	vivere	vissuto

That's Allegro

Glossary

Here, you will find words for each unit. The words follow the order in which they appear in every unit. In Italian, the accent usually falls on the second-from-last syllable. Where this rule is not valid, the accented vowel is underlined with a dash (i.e. essere). Moreover, the accent is underlined for names of people, places, cities, regions, towns and in other words that could create doubts (i.e. farmacia).

Abbreviations

avv.	avverbio	adverb
f.	femminile	feminine
inf.	infinito	infinitive
m.	maschile	masculine
pl.	plurale	plural
q.c.	qualcosa	something
qu.	qualcuno	someone
sg.	singolare	singular

UNITÀ 1 *Come va?*

come va?: How is it going?
come: how
va (*inf.* andare): is it going?
guardate (*inf.* guardare): look at
e: and
ascoltate (*inf.* ascoltare): listen to
buongiorno, signora!: good morning, madam!
buongiorno, signor Cervi: good morning, Mr. Cervi
arrivederci: goodbye
ciao: hello, hi
come stai? (*inf.* stare): how are you?

A1
io sto bene: I am fine
io: I
bene (*avv.*): fine, well
e tu?: and you?
tu: you
abbastanza (*avv.*): enough
come sta? (*inf.* stare): how are you? (*formal*)
non c'è male: not too bad
grazie: thank you
e Lei?: and you? (*formal*)
Lei: you (*formal*)

A2
completate (*inf.* completare): complete
stare: to be
lui: he
lei: she
benissimo (*avv.*): very well
così così: so and so
insomma: then, well

A3
lavorate in gruppi (*inf.* lavorare): work in groups
il gruppo: the group

A4
buona sera: good evening

B
piacere: pleased to meet you!

B1
(tu) **sei** (*inf.* essere): you are
... vero?: ... isn't it?
vero/-a: true
sì: yes
(io) **sono** (*inf.* essere): I am
questo/-a: this
(lui/lei) **è** (*inf.* essere): he/she is
un'altra collega: another colleague

B2
essere: to be

B3
in classe: in the classroom
la classe: the classroom

B4
formate (*inf.* formare) **delle frasi**: create some sentences
la frase: the sentence

C
le presento il signor…: let me introduce you to Mr….

C1
presentare qu. a qu.: to introduce someone to somebody else
l'ingegnere (*m./f.*): the engineer
il signor Rivelli: Mr Rivelli
l'ingegnere Gambini: Mr. Gambini, engineer
molto lieto/-a: pleased to meet you
molto (*avv.*): very

C3
l'architetto (*m./f.*): the architect
l'avvocato (*m./f.*): the lawyer, the attorney

la dottoressa (*m.* il dottore): the doctor
lo studio legale: legal office

C4
l'esempio (*pl.* gli esempi): the example

C5
prendete appunti (*inf.* prendere): take notes
l'appunto: the note
salutare: to greet
chiedere: to ask
presentare se stessi o altri: to introduce oneself or others
altri/-e: others
dire come si sta: say how you feel
dire: to tell, to say

C6
fate (*inf.* fare): make, do
la conversazione: the conversation

D
dove abiti? (*inf.* abitare): where do you live?
dove: where

D1
ma: but
abito qui a Perugia (*inf.* abitare): I live here, in Perugia
qui (*avv.*): here
sono di…: I'm from…
di dove sei?: where are you from?
di dove: where from
adesso (*avv.*): now
anche: even
(lui/lei) **abita** (*inf.* abitare): he/she lives
davvero?: really?
però: but
non è di Firenze: he/she isn't from Florence

non (*avv.*): not
no: no

D3

abitare: to live
Lei di dov'è?: where are you from? (*formal*)

D4

Venezia: Venice
Bologna: Bologna
Milano: Milan
Roma: Rome
Napoli: Naples
Torino: Turin
Palermo: Palermo
il Lazio: (the region of) Lazio
la Liguria: (the region of) Liguria
la Toscana: (the region of) Tuscany
la Sardegna: (the region of) Sardinia
il Veneto: (the region of) Veneto
la Sicilia: (the region of) Sicily
la Lombardia: (the region of) Lombardy
la Calabria: (the region of) Calabria
l'Umbria: (the region of) Umbria

E

(io) **sono olandese**: I'm Dutch
olandese: Dutch

E1

amici (*sg.* amico): friends
ciao a tutti!: hello everybody!
tutti/-e: everybody
cercare q.c/qu.: to look for s.t/ s.o.
il ragazzo (*f.* la ragazza): the boy (the girl)
italiano/-a: Italian
per: for
l'amicizia: friendship
(io) **sono inglese**: I'm English
inglese: English
(io) **studio in Italia** (*inf.* studiare): I study in Italy
(io) **abito in Svizzera**: I live in Switzerland
al 100%: 100%
salve: hello
tedesco/-a: German
(noi) **chattiamo?** (*inf.* chattare): shall we chat?

E3

le ipotesi (*sg.* l'ipotesi): the hypotheses
secondo te: in your opinion
secondo me: in my opinion
svizzero/-a: Swiss
francese: French
austriaco/-a: Austrian

spagnolo/-a: Spanish

E4

dialoghi (*sg.* il dialogo): the dialogues
Lugano: city in the south of Switzerland
l'Olanda: Holland
Rotterdam: Dutch city
la Francia: France
Parigi: Paris
la Germania: Germany
Stoccarda: Stuttgart
l'Austria: Austria
Vienna: Vienna

E5

(voi) **raccontate** (*inf.* raccontare): tell, narrate

E6

il nome (*pl.* i nomi): the name
il cognome: the last name
la nazionalità: the nationality
italiana: Italian
la città (*pl.* le città): city

E7

(voi) **scrivete** (*inf.* scrivere): write

F

come si pronuncia? (*inf.* pronunciare): how do you pronounce?

F1

(voi) **ripetete** (*inf.* ripetere): repeat
il centro: down town
il giubileo: jubilee
la ciabatta: slipper
la ghirlanda: garland
l'acciuga: anchovy
la galleria: gallery
la laguna: lagoon
il pacchetto: small package
geniale: brilliant
adagio (*avv.*): slowly
il giro d'Italia: Italian Tour
il parmigiano: parmesan
prego: you're welcome
il traghetto: ferry (boat)
il Chianti: Chianti
la cura: the cure
Riccione: Riccione

F2

vicino/-a: near
banco: desk
Genova: Genoa

Grammatica

la persona: the person
lo studente: the student
lo zoo: the zoo
maschile: masculine
femminile: feminine

dove vai? (*inf.* andare): where are you going?
la carta geografica: the map
la cartina: the map

A

in treno: on the train
il treno: the train

A1

scusi!: I'm sorry (*formal*)
siamo già a Pavia?: are we already in Pavia?
(noi) **siamo** (*inf.* essere): we are
già: already
Pavia è la prossima: next stop is Pavia
prossimo/-a: next
(voi) **siete** (*inf.* essere): you (all) are
tedeschi/-e: German
Francoforte: Frankfurt
tornate (*inf.* tornare): you (all) come back
abitiamo (*inf.* abitare): we live
perciò: therefore
parlate (*inf.* parlare): you (all) speak
l'italiano: Italian
così: so, therefore

A2

noi: we
voi: you (all)
loro: they

A3

mettete (*inf.* mettere) **una crocetta**: place a checkmark, an X

A5

il controllore: ticket conductor
biglietti, prego…: tickets, please..
il biglietto: the ticket
per Senigallia devo cambiare?: do I have to change train for Senigallia?
cambiare: to change
con: with
vai a…?: do you go to…?
vado (*inf.* andare) **a…**: I go to…
andare a trovare qualcuno: to go visit someone
come mai: why, how come
per lavoro: for business
il lavoro: work
beh, veramente…: truly, as a matter of fact...
veramente (*avv.*): truly, really
ancora: again
l'estate (*f.*): the summer

lavorare: to work
l'albergo: the hotel

A6

andare: to go
a passare le vacanze: to spend the holidays
passare: to spend
le vacanze (*sg.* la vacanza): holiday, vacation (*Am.*)
per visitare la città: to visit the city
visitare: to visit
per imparare l'italiano: to learn Italian
imparare: to learn

A8

lavorate in coppia: work in pairs
la coppia (*pl.* le coppie): (*here*) pair, the couple

Lettura 1

la lettura: the reading
leggete (*inf.* leggere): read
le Marche: (the region of) Marche
regione: region
l'Italia centrale: central Italy
sul mare: on the sea
si trova (*inf.* trovarsi): it is (located)
tra: between, among
Pesaro: Italian city
Ancona: Italian city
il nord: north
il sud: south
l'ovest: west
verso: towards
la montagna: the mountain
ci sono: there are
Urbino: Italian city
Gubbio: Italian city
che cosa offre: what it has to offer
il luogo: the place
la spiaggia (*pl.* le spiagge): the beach
il centro storico: historical centre/center (*Am.*) of the city
importante: important
ben conservato/-a: well preserved
come arrivarci: how to get there
giungere: to come, to arrive
facile: easy
possiamo (*inf.* potere): we can
arrivare: to arrive
l'autostrada: motorway/expressway (*Am.*)
la stazione: the station
il porto: port/the harbour (*Am.*)
l'aeroporto: the airport

Lettura 3

vero o falso?: true or false?

falso/-a: false
lungo/-a: long

B

vorrei prenotare una camera: I'd like to book a room
uno/una: a, an
la camera (*pl.* le camere): the room

B1

abbinare: to match
il lungomare: the seafront
Dante Alighieri (1265-1321): Italian writer
vostra: your
con vista sul mare: with ocean view
il mare: the sea
i servizi (*sg.* il servizio): the services
l'aria condizionata: air conditioning
il parcheggio: the parking
il ristorante: the restaurant
la piscina: the swimming pool
il giardino: the garden
privato/-a: private
il campo da tennis: tennis court
il tennis: tennis
l'ascensore (*m.*): the lift/the elevator (*Am.*)
il servizio in camera: room service
per i vostri affari: for your business
la sala congressi: conference room

B2

il fine settimana: the week-end
la (camera) singola: single room
o: or
la (camera) doppia: double room
va bene: that's fine
a che nome?: under whose name?
quando: when
venerdì (*m.*): Friday
la sera (*pl.* le sere): at night
a proposito: with regard to
c'è: there is
perfetto/-a: perfect
solo: just, only
domanda: question
certo: sure
allora: so, then
la colazione: breakfast
la mezza pensione: half board
mezzo/-a: half
il supplemento: the supplement
per persona: per person

B3

inserite (*inf.* inserire): insert
la prenotazione: the booking, the reservation

lunedì (*m.*): Monday
martedì (*m.*): Tuesday
mercoledì (*m.*): Wednesday
giovedì (*m.*): Thursday
sabato (*m.*): Saturday
domenica (*f.*): Sunday

B5

no, non c'è: no, there isn't

B7

chiedere informazioni su un albergo: to ask some information about a hotel

C

mi chiamo Price (*inf.* chiamarsi): my name is Price

C1

avete (*inf.* avere): you have
stasera: tonight
al nome di: under the name of
come, scusi?: Excuse me, what did you say?
ecco: here is
la chiave (*pl.* le chiavi): the key

D

un po' di fonetica: a little bit of phonetics

D1

la maschera: the mask
lo sciopero: the strike
la sciarpa: the scarf
l'asciugamano: the towel
il fiasco: the flask
la scala: the stairs
la scuola: the school
Ischia: island off the coast of Naples

D2

la sciampagna: the champagne
scendere: to go down
uscire: to go out
sciocco: foolish
asciugare: to dry
lo scandalo: the scandal
lo schema: the scheme
lo scopo: the aim, the goal
la scusa: the excuse

UNITÁ 3 *Ripasso*

il ripasso: the review

A

impariamo i vocaboli: let's learn the words
il vocabolo (*pl.* i vocaboli): the word

A1

l'archivio mobile: the mobile archive

mie/miei (*f. pl./m. pl.*): my

A2

la scheda (*pl.* le schede): the index card

camera con bagno: room with bathroom

A3

le parole associate: the associated words

A4

e ora provate voi!: and now, you try!

ora (*avv.*): now

B1

che testo è questo?: what kind of text is this?

il testo: the reading text

B2

che cosa significa?: what does it mean?

B3

e ora buona lettura!: And now enjoy your reading!

la lettura: the reading

piccolo: small

Cefalù: Cefalù

in stile mediterraneo: in Mediterranean style

lo stile: the style

situato/-a: located, placed

tranquillo/-a: quiet

la zona di campagna: the country-side

la campagna: the countryside

pochi/poche: few

il minuto (*pl.* i minuti): the minute

la gestione familiare: the family business

la terrazza: the terrace

panoramica/-o: panoramic

la vista: the view

meravigliosa/-o: wonderful

sul golfo di: on the gulf of

menù alla carta: À la carte menu

menù: menu

riservato/-a: reserved

attrezzato/-a: equipped

la (sedia a) sdraio: the deckchair

l'ombrellone: the beach-umbrella

gratuito/-a: free

l'autobus di linea: the bus

C

il giro delle Marche: a tour around the Marches region

C1

rispondete (*inf.* rispondere): answer

quale: which, what

il giorno (*pl.* i giorni): the day

com'è...?: how is, what is…

ha gravi problemi di...: he/she has serious problems of…

telefona (*inf.* telefonare): calls, telephones

il problema: the problem

se: if

i/le clienti (*sg.* il/la cliente): the customers

Jesi: Jesi

medievale: medieval

il pullman: the bus, coach (*Am.*)

Macerata: Macerata

l'arena Sferisterio: the Sferisterico arena

vedere: to see, to watch

l'opera lirica: the opera

all'aperto: outdoors

perdi un giro (*inf.* perdere): you miss a turn

il giro (*pl.* i giri): the turn

Loreto: Loreto

famoso: famous

il Santuario della Santa Casa: the Sanctuary of the Holy House

incontri (*inf.* incontrare): you meet

che: that

San Benedetto del Tronto: San Benedetto del Tronto

Piazza del popolo: Piazza del popolo (the Square of the people)

Ascoli Piceno: Ascoli Piceno

la studentessa (*pl.* le studentesse): (*f.*) the student

l'indirizzo: the address

il numero di telefono: the telephone number

durante: during

la camminata: the walk

i Monti Sibillini: the Sybillini Mountains

vuoi (*inf.* volere): you want

conoscere: to know

meglio (*avv.*): better

dici (*inf.* dire): you say

Fabriano: Fabriano

il mondo: the world

la produzione: the production

le bellissime Grotte di Frasassi: the wonderful Frasassi caves

bellissimo/-a: very beautiful

alla fine: at the end

l'escursione: the excursion

la guida: the guide

l'abbazia: the abbey

Fonte Avellana: Fonte Avellana

ricordi (*inf.* ricordare): you remem-

ber

particolarmente: particularly

utili (*sg.* utile): useful

durante il viaggio: during the trip

Urbino: Urbino

di nuovo: again

Pesaro: Pesaro

il punto di partenza: the start point

perché: why, because

Italia & italiani
Primi contatti

primi: first

il contatto: the contact

persone aperte: outgoing/extro-verted people

aperto/-a: open

cordiale/-i: sociable, amiable

si abbracciano (*inf.* abbracciarsi): they hug

si baciano (*inf.* baciarsi): they kiss

la guancia: the cheek

si salutano (*inf.* salutarsi): they greet each other

saluto amichevole: a friendly gree-ting

saluto: greeting

confidenziale: confidential

lasciare: to let

usano (*inf.* usare): they use

il mattino: the morning

la giornata: the day

buona giornata: have a nice day

buona serata: have a nice evening

l'augurio: the wish

la famiglia: the family

il/la giovane (*pl.* i/le giovani): the youth

conoscenti (*sg.* conoscente): acquaintances

spesso (*avv.*): usually

infatti: indeed

"diamoci del tu": let's address each other in an informal way

più: more

volte: times

la situazione: situation

titolo di rispetto: courtesy title

il rispetto: the respect

titoli professionali: professional titles

(essere) laureato: to have a degree

l'università (*pl.* le università): the university

il professore: the teacher, the pro-fessor

la professoressa: (*f.*) teacher, pro-fessor

insegnare: to teach

nel caso di...: in the case of...
perde (*inf.* pe̲rdere): he/she loses
la vocale (*pl.* le vocali): the vowel

Biglietti prego!

è possibile: it is possible
comprare: to buy
la bigliette̲ria: ticket office
l'agenzi̲a di viaggi: travel agency
la bigliette̲ria automa̲tica: automatic ticket office
prima di: before
salire: to get on
evitare: to avoid
la multa: ticket, fine
convalidare: to validate
tuo/tua: your
tanti/-e: many
l'apparecchio (*pl.* gli apparecchi): the machine
il colore: the colour, color (*Am.*)
arancione: orange
il bina̲rio: the train track
la stazione ferroviaria: the railway station

Alloggio

scegliere: to choose
alloggiare: to stay
la pensione: the hotel
il villaggio turistico: the tourist resort
il campeggio: the camping site
l'agriturismo: agritourism
prenotare: to book, to make a reservation
bisogna che...: it is necessary to...
il letto (*pl.* i letti): the bed
separato: separate
la matrimoniale: the double room
doppio/-a: double

UNITÀ 4 *Prendi un caffè?*

prendi un caffè?: would you like a cup of coffee?
il caffè: the coffee
la foto: the picture

A

prendiamo un aperitivo?: let's drink an aperitif
prendere: (*here*) to drink
l'aperitivo: the aperitif

A1

il panino: the sandwich
il gelato: the ice-cream
l'aranciata: the orange juice
il latte macchiato: milk with some coffee
lo spumante: the champagne

l'acqua minerale: the mineral water
il cornetto: the croissant
la pasta: the pasta
il succo di frutta: the fruit juice
il succo: the juice
la frutta: the fruit
il tramezzino: the club sandwich, the sandwich
lo zu̲cchero: the sugar

A2

la cassiera: the cashier
ma è caro: it's expensive!
caro/-a: expensive
al banco: at the counter
il banco: the counter
e va bene: it's fine
alla cassa: at the cash register
prendete (*inf.* pre̲ndere): would you like
bianco: white
prendi (*inf.* pre̲ndere): (*here*) you are going to have
anche tu: you too
prendono (*inf.* pre̲ndere): they take
la spremuta d'ara̲ncia: the orange juice
per me: for me
il prosecco: prosecco wine
quant'è?: how much is it?
l'eu̲ro: the euro
hai (*inf* avere): you have
per caso: by accident, by chance
il cente̲simo: the cent
il resto: the change
lo scontrino: the receipt

A3

pre̲ndere q.c.: to take something
avere: to have

A5

il cappuccino: the cappuccino
la cioccolata: the chocolate
caldo/-a: hot
il tè al limone: the lemon tea
la camomilla: the camomile
amaro/-a: bitter, (*here*) without sugar, black
la coca-cola: the coke
l'analco̲lico: a non alcoholic drink
l'amaro: type of after dinner drink

B

i nu̲meri (*sing.* il nu̲mero): the numbers

B1

zero: zero
uno: one
due: two
tre: three

quattro: four
cinque: five
sei: six
sette: seven
otto: eight
nove: nine
dieci: ten
undici: eleven
dodici: twelve
tredici: thirteen
quattordici: fourteen
quindici: fifteen
sedici: sixteen
diciassette: seventeen
diciotto: eighteen
diciannove: nineteen
venti: twenty
trenta: thirty
quaranta: forty
cinquanta: fifty
sessanta: sixty
settanta: seventy
ottanta: eigthy
novanta: ninety
cento: one hundred

C

volete ordinare? (*inf.* volere): do you want to order?
ordinare: to order

C1

senta... scusi: Excuse me (*formal*)
gassato/-a: with gas, sparkling
naturale: natural
una minerale: (a bottle of) mineral water
io invece prendo...: I'm going to have instead...
invece: instead
la pesca: the peach

C2

il bicchiere (*pl.* i bicchieri): the glass
basta così?: is it enough?
basta: enough
notare: to notice

C4

com'è il caffè?: how is the coffee?

D1

un po'/un poco: a little
freddo/-a: cold
accidenti che panino!: Wow! What a sandwich!
troppo (*avv.*): too much
dolce/-i: sweet
la pizzetta: a small pizza
pro̲prio (*avv.*): really
buono/-a: good

grande: big

la birra: beer

prendete nota: take notes, notice
dopo: then
quelli: those

il caffellatte: coffee and milk
il pane: bread
la marmellata: jam
i cereali: cereal

ventuno: twenty-one
ventidue: twenty-two
ventitre: twenty-three
ventiquattro: twenty-four
venticinque: twenty-five
ventisei: twenty-six
ventisette: twenty-seven
ventotto: twenty-eight
ventinove: twenty-nine
duecento: two hundred
trecento: three hundred
quattrocento: four hundred
cinquecento: five hundred
seicento: six hundred
settecento: seven hundred
ottocento: eight hundred
novecento: nine hundred
mille: one thousand
duemila: two thousand

sottolineate (*inf.* sottolineare): underline

il pranzo: lunch
la cena: dinner
un italiano medio: an average Italian
l'anno (*pl.* gli anni): the year
a tavola: at the table
il primo piatto: first course
pasta al sugo di pomodoro: pasta with tomato sauce
il sugo: sauce
il pomodoro: tomato
il secondo piatto: second course
la carne: meat
il kg./chilogrammo/chilo: kilogramme
il contorno: side dish
l'insalata: salad
il dessert: the dessert
la torta: cake
da bere: to drink

la bottiglia di vino: bottle of wine
il vino: the wine
la lattina di: a can of
il litro: litre, liter (*Am.*)
il latte: milk
la tazzina: a small cup

mangiare q.c.: to eat something
beve (*inf.* bere): he/she drinks

cosa avete di buono oggi?: What do you recommend today? (food)
oggi (*avv.*): today
la trattoria: family-owned restaurant

un tavolo per due, per favore: a table for two, please
per favore: please
il tavolo: the table
la bruschetta al pomodoro: bruschetta with tomatoes
ai funghi (il fungo): with mushrooms
di primo: as a main course
il minestrone: minestrone (vegetable soup)
le orecchiette (*pl.*): orecchiette (shape of pasta)
al pesto: with pesto sauce (basil and olive oil)
i cannelloni: cannelloni (stuffed pasta)
gli spinaci: spinach
di secondo: as second course
i calamari (*pl.*): calamari (squid)
alla siciliana: Sicilian style
il coniglio: rabbit
in umido: a way to cook meats
mah, veramente non so...: well, I don't really know...
non so: I don't know
le lasagne: lasagna
mi dispiace: I'm sorry
dunque: so, well then
provare: to try
niente: nothing
mezzo litro: half a litre
il vino della casa: house wine
i piatti del giorno: menu of the day (food)
il pesce: fish

la piazzetta: small square
la mozzarella di bufala: mozzarella made with buffalo milk
la rucola: rocket/arugola (*Am.*)
i crostini di fegatini alla fiorenti-

na: paté crostini
la zuppa di pesce: fish soup
fresco/-a: fresh
le tagliatelle: tagliatelle (a kind of pasta)
il sugo di cinghiale: wild boar sauce
i ravioli: ravioli
i funghi porcini (*pl.*): porcini mushrooms
gli gnocchetti: gnocchetti (a kind of pasta)
al gorgonzola: with gorgonzola cheese
le lasagne alle verdure: vegetable lasagna
la verdura: vegetables
le farfalle (*pl.*): bow ties (a kind of pasta)
alla pescatore: fisherman style
alla griglia: grilled
la bistecca di maiale: pork chop
il maiale: pork
l'agnello: lamb
la trota: trout
i fagioli (*pl.*): beans
l'olio: oil
i peperoni (*pl.*): peppers
l'aglio: garlic
le patate fritte (*pl.*): French fries
la patata: potato
fritto/-a: fried
misto/-a: mixed
la torta di noci: walnut cake
la noce (*pl.* le noci): walnut
i biscottini di Prato: a type of cookie made in the city of Prato
il biscotto: cookie
di stagione: seasonal/in season
il coperto: table charge
IVA e servizio inclusi: tax and service included

consigliare: to recommend, to suggest

singolare: singular
plurale: plural

tu che cosa fai?: what do you do (*here*) for a living?
la pubblicità: the commercial, the advertisement
da grande farò…: When I grow up I'll be…
il domatore: the tamer
il pilota: the pilot

per te: for you

A

faccio il tassista (*inf.* fare): I'm a taxi driver

il/la tassista: taxi driver

A1

l'insegnante (*m./f.*): teacher

il commesso / la commessa: employee

l'operaio/-a specializzato/-a: skilled worker

l'infermiere/ -a: nurse

il medico (*m./f.*): doctor

il casalingo/la casalinga: househusband/housewife

il programmatore/la programmatrice: (computer) programmer

A2

l'ospedale (*m.*): the hospital

l'ufficio: the office

la fabbrica (*pl.* le fabbriche): the factory

A3

l'Università Popolare di Roma: University in Rome

A4

riascoltare: to listen again

studio economia (*inf.* studiare): I study economics

l'economia: economics

vivere: to live

ho 27 anni: I'm 27 years old

sono pensionata: I'm retired

pensionata/-o: retired

la ditta: the firm

A5

fare: to do, to make

Lei che lavoro fa?: what is your job?

la medicina: medicine

stare a casa: to stay at home

A6

il negozio di…: store

la scarpa (*pl.* le scarpe): shoe

lo studio medico: doctor's office

la banca: bank

B

com'è il nuovo lavoro?: What is your new job like?

nuovo/-a: new

B1

la mattina: in the morning

chiuso/-a: closed

ah, già, è vero!: oh yes, it's true!

guarda, sono proprio…: look, I'm really...

(essere) contento/-a di…: (to be) happy about

mi piace: I like

andare d'accordo: to get along (well)

giovane: young

simpatico/-a (*pl.* -ci/-che): nice, friendly

gli orari poco flessibili: less flexible schedules

l'orario: the schedule

flessibile/-i: flexible

tardi: late

il pomeriggio: in the afternoon

impegnativo/-a: (referred to job) demanding

a volte: sometimes

stressante/-i: stressful

almeno: at least

vario/-a: various

la novità: the news

purtroppo: unfortunately

domani: tomorrow

il colloquio (di lavoro): the (job) interview

speriamo bene!: let's keep our fingers crossed!

in bocca al lupo!: break a leg!, good luck!

B2

a mezzogiorno: at noon

il mezzogiorno: noon

la notte: night

B3

interessante (*pl.* -i): interesting

faticoso/-a (*pl.* -i/-e): tiring

creativo/-a: creative

noioso/-a: boring

comodo/-a: comfortable

B6

l'atmosfera: the atmosphere

Ascolto 3

scegliete (*inf.* scegliere): choose

il/la tour-operator: tour-operator

il bambino/-a: child

il pensionato/la pensionata: retired person

la biblioteca: library

C

cucino, pulisco, stiro: I cook, clean and iron

cucinare: to cook

pulire: to clean

stirare: to iron

C1

ex-imprenditore: ex-entrepreneur

l'imprenditore/l'imprenditrice: the entrepreneur

il membro: member

movimento uomini casalinghi: house husbands' movement

l'uomo (*pl.* gli uomini): man

raccontare q.c.: to tell something

la mia vita gira intorno alla casa: my life is around the house

mia moglie: my wife

la moglie: wife

suo/sua: his/her

avere (tanto) da fare: to have many things to do

tanto (*avv.*): so much

ecco la mia giornata: here is my day, here is my daily routine

preparare: to prepare

fare il letto: to make the bed

mettere in ordine: to rearrange, to straighten up

stirare non è il mio forte: ironing is not my favorite thing/my forte, it's not my cup of tea, is not what I do best

fare la spesa: to go shopping

poi (avv.): then

preparare da mangiare: to prepare something to eat

quando lei finisce di… (*inf.* finire) when she finishes …ing

pronto/-a: ready

ormai: by now

il cuoco/la cuoca: the cook

C3

ogni giorno: every day

di tanto in tanto: once in a while, occasionally

raramente (*avv.*): rarely

C4

finire (di): to finish

C5

anche se: even if

piuttosto: rather

tra: between

per fortuna: luckily

mio marito: my husband

il marito: husband

C6

fate un'inchiesta: do a survey

l'inchiesta: survey

i lavori di casa: house chores

volentieri: willingly, with pleasure

D1

andare a prendere qu.: to go to pick s.o. up

avere un appuntamento: to have an appointment

l'appuntamento: appointment

il/la dentista: dentist

allora devo finire di…: so I have to finish to…

giovedì ci vado io: I can go on Thursday

come al solito: as usual

non devi lavorare?: don't you have to work?

la settimana: week

sempre: always

il turno: turn

la madre: mother

dai, …: come on...

non cominciamo di nuovo: Let's not start again

cominciare: to start

D3

confrontare: to compare

D4

potere: to can, to be able to

dovere: to have to, to must

UNITÀ 6 *Ripasso*

A1

parole illustrate: illustrated words

A2

le cose di tutti i giorni: daily things

A3

rime e ritmi: rhymes and rhythms

la rima: the rhyme

il ritmo: the rhythm

A4

provate un po'!: try!

B

impariamo ad ascoltare: let's learn to listen

ascoltare: to listen

B1

c'è tono e tono: careful how you say it...

qualcuno si lamenta: someone complains

qualcuno: someone

lamentarsi: to complain

chiedere un'informazione: to ask for information

un episodio divertente: a funny episode

l'episodio: the episode

arrabbiato/-a: angry

B2

gesti, mimica e altri fattori: gestures, pantomime and other factors

il gesto (*pl.* i gesti): gesture

la mimica: mimicry

il fattore (*pl.* i fattori): factor

B3

ed ora attenzione!: and now, pay attention!

C1

gli impegni: commitments

Italia & italiani
Due caffè, per favore!

continuamente (*avv.*): continuously

senza specificare: without specifying

significa che...: it means that…

vuole (*inf.* volere): he/she wants

l'espresso: the espresso coffee

un espresso / caffè macchiato: an espresso/coffee with milk

un po' di...: a little bit of...

un espresso/caffè corretto: an espresso/"corrected" coffee (coffee with a drop of liquer)

il cognac: cognac

la grappa: grappa

un espresso/caffè lungo: an espresso/"long"coffee

forte: strong

un espresso/caffè ristretto: an espresso/a strong coffee

soprattutto: above all

dopo (avv.): after

il pasto: meal

normalmente (*avv.*): normally, usually

leggero/-a: light

pesante/-i: strong

gli adulti (*sg.* l'adulto): the adults

fatto con...: made with…

la moka: coffee machine

lo yogurt: yogurt

la tazza: cup

mettere: to put

tipico/-a: typical

in piedi: on foot

costa di più: it is more expensive

costare: to cost

pagare: to pay

entrare: to come, to go in

quasi sempre: almost always

e poi: and then

magari: if only

il barista: the bartender

durare: to last

soltanto (*avv.*): only, just

più volte: many times

l'intervallo: break, interval

la compagnia: company, group of friends

"offro io!": "My treat!"

quindi: then

paga per tutti: he/she pays for everyone

in centro: downtown, City Centre

l'angolo: corner

il paese (*pl.* i paesi): small town

un punto d'incontro: meeting place

il punto: place

lì: there

giocare a carte: to play cards

le carte da gioco: playing cards

chiacchierare: to chat

guardare… in TV: to watch… on T.V.

la partita di calcio: football game/soccer game (*Am.*)

il calcio: football/soccer (*Am.*)

Andiamo a mangiare!

chi: who

fuori: outside

può (*inf.* potere): he/she can

la pizzeria: pizza parlour, pizza place

oltre a...: in addition to…

la scelta: the choice

limitato/-a: limited

ottimo/-a: very good, excellent

piatti regionali: regional dishes

ricco/-a: rich

succedere: to happen

oppure: or

"alla romana": "to go Dutch"

cioè: i.e.

ognuno: everyone

fisso/-a: fixed

comprendere: to be included

servito a tavola: served at the table

per legge: by law

la legge (*pl.* le leggi): law

la ricevuta: receipt

Lavoro e famiglia

Paesi: countries

la necessità: the necessity

combinare: to combine

la donna (*pl.* le donne): woman

il lavoro part-time: part-time job

a mezza giornata: half day (job)

poco diffuso: not very common, not widespread

la possibiltà (*pl.* le possibilità): the possibility

lasciare: to leave

il figlio (*pl.* i figli): son, child

i nonni: grandparents

i nipoti: grandchildren

la responsibilità: the responsibility

l'educazione: the upbringing

UNITÀ 7
C'è una banca qui vicino?

c'è una banca qui vicino?: is there a bank nearby?
la banca (*pl.* le banche): bank
vicino a...: near...
l'edicola: newsstand
il cinema: cinema, movie theater
la fermata dell'autobus: bus stop
il supermercato: supermarket
l'ufficio postale: post office
riconoscete qualcos'altro: do you recognize anything else
nelle foto?: in the pictures?

A
dove vai così di corsa?: Where are you going so fast?
la corsa: running race

A1
tra poco: in a little bit
la sorella: sister
passare da qu.: to stop at someone's place
il fiorario: the florist
che fai da queste parti?: what are you doing around here?
faccio un salto a/da/in...: I'm going to stop by at...
il centro TIM: TIM centre (phone company)
avere un problema: to have a problem
il cellulare: mobile phone, cellular phone (*Am.*)
senti: listen
sai per caso se...? (*inf.* sapere): do you know by chance...?
qui nel quartiere non ci sono banche: there aren't any banks in this neighbourhood
il quartiere: neighbourhood, district
aspetta!: wait!, hold on!
aspettare q.c./qu.: to wait for something/someone
in piazza Tasso: in Tasso square
la piazza: square
ah già!: that's right!
devo proprio...: I really have to...
scappare: to run away

A2
(non) funziona bene: it doesn't work very well

A4
la palestra: the gym
il parrucchiere: the hairdresser
corso di...: class of...

B1
di fronte a: in front of
davanti a: in front of
accanto a: next to
il duomo: the cathedral

B2
la posta: the post office
la farmacia: the pharmacy

C
ma che ore sono?: What time is it?

C1
è mezzogiorno: it's noon
è mezzanotte: it's midnight
è l'una: it's one o'clock
sono le tre: it's three o'clock
sono le quattro e dieci: it's ten past four
sono le cinque e un quarto: it'a quarter past five
sono le sette e mezzo/mezza: it's half past seven
sono le otto e quaranta: it's eight forty
sono le nove meno venti: it's twenty to nine
sono le nove e tre quarti: it's nine forty-five
sono le dieci meno un quarto: it's a quarter to ten

C2
oddio!: Oh my goodness!
e come faccio ora?: What am I going to do now?
apre (*inf.* aprire): he/she opens
le medicine (*sg.* la medicina): medicines, medications
urgente/-i: urgent
il giglio: lily
(fare) l'orario continuato: (stores) opened non stop
figurati!: never mind!
sono aperti/-e dalle ... alle: they are open from ... to
le ... di mattina/di sera: ...o'clock in the morning/at night
il mese: month

C3
aprire: to open
a che ora..?: At what time?
chiudere: to close
il centro commerciale: mall, shopping centre

C4
e da voi?: (*here*) What about in your town?
apre alle ... e chiude alle ...: it opens at ... and it closes at ...

C5
oggi è di turno questa farmacia: today this pharmacy is open
nelle ore di chiusura: during closing times
rivolgersi a...: to ask to...
la ricetta: the prescription
l'abitazione: the house
orario di sportello: (bank) opening time
il semifestivo: half- holiday

Lettura 2
Lucca: Lucca (Italian city)
l'anfiteatro: amphitheater
un "vuoto" di armonia: a harmonious "emptiness"
il vuoto: gap, empty space
l'armonia: harmony
dagli anni trenta dell'800: from the Thirty's in the 1800's
questa piazza-gioiello: this jewel-like square
il gioiello: the jewel
incantare qu.: to charm, bewitch someone
i visitatori (*sg.* il visitatore): visitors
il salotto: the living room
ovale: oval
sui resti dell'antico anfiteatro: on the remains of the ancient amphitheatre
antico/-a: ancient
Romano: Roman
progettato/-a: designed
un posto incredibile: an incredible place
il fascino: charm
il set: set
la televisione: television
nascosto/-a: hidden
camminare: to walk
per le vie strette del centro: through the narrow streets of the downtown area
stretto/-a: narrow
le antichità: the antiquity, the ancient times
passi (*inf.* passare): (*here*) you walk through
sotto: under, below
l'arco: the arch
la sorpresa: surprise
voltare pagina: to turn page
il silenzio: silence
il cerchio: circle
anzi: even better
edifici (*sg.* edificio): buildings

la bottega (*pl.* le botteghe): shop
il mercato: market
al centro: downtown
aprile: April
la festa di Santa Zita: Saint Zita's festivity
la festa (*pl.* le feste): festivity, party
ospitare q.c./qu.: to give hospitality to someone
la mostra-mercato: show-fair
la mostra: show
il fiore (*pl.* i fiori): flower
luglio: July
il concerto (*pl.* i concerti): concert
protestare: to protest
la fiera dell'antiquariato: the antique trade show
l'antiquariato: antique trade
gli abitanti (*sg.* l'abitante) citizen, inhabitant
rumore: noise
la sedia (*pl.* le sedie) **di plastica**: plastic chair
la plastica: plastic
brutto/-a: ugly
si anima (*inf.* animarsi): it gets crowded
la piazza si anima di turisti: the square is animated by tourists
sorridere: to smile

Lettura 3
il locale: room, place
la manifestazione: demonstration

D
a più tardi!: See you later!

D1
ci vediamo: see you
vedere q.c./qu.: to see s.
vieni, no? (*inf.* venire): You are coming, aren't you?
non so dov'è (*inf.* sapere): I don't know where it is
quando esci di qui (*inf.* uscire): when you leave here
giri a destra (*inf.* girare): turn to the right
a sinistra: to the left
subito: right away
andare avanti: go straight ahead
fino a…: as far as…
complicato/-a: complicated, complex
lo schizzo: sketch, draft

D2
San Fedele: Saint Fedele
la chiesa: church
la zona pedonale: pedestrian area
la libreria: bookstore

D3
il disegno: drawing, picture
la descrizione: description
attraversare q.c.: to cross something
l'incrocio: crossing
continuare: to carry on, to continue
continuare diritto fino a…: to keep going straight until…
dritto: straight
a destra: on the right
il semaforo: traffic-light
il metro (*pl.* i metri): meter
circa: about
sbagliare: to make a mistake, to go wrong
È chiaro?: is it clear?
chiaro/-a: clear

D4
il ponte: bridge

D5
sapere q.c.: to know something
venire: to come
uscire: to go out
scusi, per piazza San Fedele?: Excuse me, to Saint Fedele's square?
va avanti fino a…: go straight until…
attraversa (*inf.* attraversare): cross
gira (*inf.* girare): turn onto...

D6
immagine: image
la musica dal vivo: live music
il borgo: the village

UNITÀ 8 *Cosa hai fatto ieri?*

che cosa hai fatto ieri? What did you do yesterday?
ieri (avv,): yesterday
fare sport: to practice sports
lo sport: sports
ascoltare la musica: to listen to music
andare in bicicletta: to ride a bicycle
la bicicletta: bicycle
guardare la TV: to watch TV
ballare: to dance
fare foto: to take pictures
leggere: to read
invitare amici a casa: to invite your friends to your house
andare a vedere una mostra: to go see a show
navigare in internet: to surf the net

A
ti piace la musica italiana?: Do

you like Italian music?
ti piace…?: Do you like…?

A1
dipende: it depends
la canzone melodica: melodic song
la canzone (*pl.* le canzoni): song
il cantautore/la cantautrice: singer-songwriter
Lucio Dalla: Italian singer
Paolo Conte: Italian singer
Eros Ramazzotti: Italian singer
Nek: Italian singer
Laura Pausini: Italian singer
non ti piacciono?: don't you like them?
non tanto: not very much
tra i giovani: with young people
preferire: to prefer
Lorenzo Jovanotti: Italian singer
da quando: since when
l'estero: abroad
tutto/-a: all
addirittura:even
il Festival di Sanremo: Italian music festival
ma scherzi?: are you joking?
scherzare: to joke
no, ti giuro!: No, I swear!
giurare q.c. a qu.: to swear about something to someone

A2
le piace/le piacciono: do you like
moltissimo (*avv.*): very much

A3
il film d'azione: action movie
la commedia: comedy
la musica leggera: pop music
classico/-a (*pl.* -ci/-che): classical
la canzone popolare: popular song
la biografia: biography
il giallo: thriller
il romanzo: novel
la pittura: painting
la fotografia (d'autore): (gallery) photography

B
cosa hai fatto di bello?: (*expression*) What did you do (for fun)?
bello/-a: (*here*) fun

B1
niente di speciale: nothing special
ho dormito (*inf.* dormire): I slept
ho incontrato (*inf.* incontrare): I met
incontare qu.: to meet someone
abbiamo pranzato insieme (*inf.* pranzare): we had lunch together
avete mangiato (*inf.* mangiare):

you ate

abbiamo avuto l'idea di... (*inf.* avere): we had the idea of…

l'idea (*pl.* le idee): the idea

ha comprato (*inf.* comprare): he/she bought

comprare q.c.: to buy something

il vaso: vase, pot

ma che prezzi!: What prices!

il prezzo: price

in campagna: in the countryside

la campagna: countryside

una pace che non ti dico: a peace that I can't explain

la pace: peace

B3

il passato prossimo: Italian past tense

B5

avete fatto (*inf.* fare): you did

lo scorso fine settimana: last week-end

scorso/-a: last

fare una passeggiata: to go for a walk

la passeggiata: walk

avere ospiti: to have guests over

l'ospite/-i: guest

C

è stata proprio una bella giornata: it was really a wonderful day

è stata (*inf.* essere): it was

C1

grazie ancora dell'invito: thank you again for your invitation

l'invito: the invitation

sono arrivato (*inf.* arrivare): I arrived

per via del traffico (per via di): because of the traffic

il traffico: traffic

sono andato (*inf.* andare) **a letto**: I went to bed

sciare: to ski

ho letto (*inf.* leggere): I read

finalmente (*avv.*): finally

Andrea Camilleri: Italian writer

buona settimana!: have a nice week!

altro che (Camilleri)!: forget (Camilleri)!

è venuta (*inf.* venire): she came

compagna: schoolmate

siamo andate (*inf.* andare): we went

sono tornata (*inf.* tornare): I came back

comunque: so

stanchezza a parte: apart from being tired

la stanchezza: tiredness

a parte: apart from

ho passato (*inf.* passare): I spent

alla prossima: till next time

C2

è andato (*inf.* andare): he went

è tornato (*inf.* tornare): he came back, he returned

C3

siamo andati/-e (*inf.* andare): we went

C4

l'attimo: moment

x Paolo!: for Paolo

amiche (*sg.* l'amica): (*f.*) friend

stamattina: this morning

il papà: dad

la telefonata: phone call

verso le otto: around eight o' clock

C6

indovinare: to guess

Lettura 2

l'odore della notte: scent of the night

nato/-a a... (*inf.* nascere): he/she was born in...

Porto Empedocle: town in Sicily

nel 1925: in 1925

ha cominciato a: he started to

il regista teatrale: theatre director

ha rappresentato (*inf.* rappresentare): he represented

rappresentare q.c.: to represent

l'autore/l'autrice: author

lo sceneggiatore: playwright

ha insegnato (*inf.* insegnare): he taught

Centro Sperimentale di Cinematografia: experimental movie making centre/center (*Am.*)

ha scritto (*inf.* scrivere): he wrote

la poesia: poetry

il racconto (*pl.* i racconti): novel

il personaggio: the character

il commissario Montalbano: Inspector Montalbano

conosciuto dal pubblico: he is publicly known

il pubblico: public

fortunata serie di film: lucky series of movies

fortunato/-a: lucky

sposato/-a: married

ha tre figlie e quattro nipoti: he has three daughters and four grandchildren

la figlia (*pl.* le figlie): daughter

il/la nipote (*pl.* i/le nipoti): nephew/niece

attualmente (*avv.*): currently

Lettura 3

le professioni (*sg.* la professione): the professions

D

sono nato nel 1937 (*inf.* nascere): I was born in 1937

D1

ho lavorato (*inf.* lavorare): I worked

tantissimo: very much

ho finito (*inf.* finire) **la scuola**: I finished school

ho lasciato (*inf.* lasciare): I left

lasciare q.c./qu.: to leave something/someone

le Ferrovie dello Stato: National Italian Railway System

ho vissuto (*inf.* vivere): I lived

ho chiuso (*inf.* chiudere): I closed

l'attività: activity, occupation

ho trovato (*inf.* trovare): I found

trovare q.c.: to find someone

non ho avuto il tempo di... (*inf.* avere): I didn't have the time to…

farmi (*inf.* farsi) **una famiglia**: to create (have) a family

E

una festa in famiglia: a family celebration

E1

il cognato/la cognata: brother/sister in law

il fratello: brother

i genitori (*pl.*): parents

E2

il battesimo: baptism

le nozze d'oro: golden wedding

il matrimonio: wedding

il compleanno: birthday

Novara: Italian city

pensa: think

perfino: even

non ancora: not yet

naturalmente (*avv.*): naturally, obviously

i parenti: relatives

i nostri amici: our friends

nostro/-i: our

regalare q.c. a qu.: to give a present to someone

il cofanetto: coffret, jewel box

l'argento: silver

inciso/-a: carved

e tu stai meglio adesso?: Do you

feel better now?

spero di rivederti presto: I hope to see you soon

sperare q.c.: to hope for something

rivedere qu.: to see someone again

presto (*avv.*): soon

l'abbraccio: hug

saluti da...: greetings from...

E3

chi è venuto alla tua festa?: Who came to your party?

E5

la lettera: the letter

E6

il carnevale: carnival (Mardi Gras)

il Natale: Christmas

la Pasqua: Easter

il Capodanno: New Year's Eve

Ascolto 2

Mantova: Italian city

Giotto: Italian artist

parecchie persone: a lot of people

parecchio/-a (*pl.* parecchi/-e): a lot of

l'inquinamento: pollution

Padova: Padua (Italian city)

la gita: trip, excursion

il vitello: veal

l'agnello: lamb

Ascolto 3

la Cappella degli Scrovegni: The Scrovegni's Chapel

ha prenotato (*inf.* prenotare) **una visita**: he/she booked a visit

la visita: visit

Grammatica

il sostantivo: the noun

loro: they

UNITÀ 9 *Ripasso*

il soggiorno: the stay

l'arrivo: the arrival

il/la passante: pedestrian

dite (*inf.* dire): tell

chiedere q.c. a qu.: to ask someone something

il giornalaio: newsstand

spiegare q.c. a qu.: to explain sth. to s.o.

il bancomat: ATM machine

funzionare: to work

la torre: the tower

a lezione: in class

la lezione: the lesson

l'inviato/-a: guest, a person invited

l'hobby (*pl.* gli hobby): hobby

coniugare: to conjugate

rosso: red

l'orto botanico: the botanic garden

riposare: to rest

B

ma sì!: of course!

B1

per cominciare...: to start...

B2

le parole giuste: the right words

B3

un modello c'è già: there is already an example

Italia & italiani
La famiglia

numeroso/-a: large

un ricordo dei tempi passati: a memory of the past times

il ricordo: memory

rispetto a: with respect to

quelle: those

gli europei/le europee: Europeans

la percentuale: percentage

nonostante: despite

recente: recent

fenomeno: phenomenon

continuare a: to continue

conservare: to save, to keep

la caratteristica (*pl.* le caratteristiche): characteristic

passato: past

o meglio: or better, or rather

unico/-a: unique, only

sempre più: more and more

vanno via (*inf.* andare via): they go away

decidono (*inf.* decidere) **di**: decide

sposarsi: to get married

creare una famiglia: to start a family

motivi economici: economic reasons

ma anche perché: but also because

le comodità (*sg.* la comodità): comforts

le cure (*sg.* la cura): the cure, treatments

la mamma: mother

si usa: it is used

il termine: term, word

il papà: father

esistere: to exist

il babbo: dad

La festa in famiglia

festeggiare: to celebrate

in compagnia di: in the company of

alcune/-i: some

l'onomastico: nameday

in occasione di: upon the occasion of

la Comunione: First Communion

la Cresima: Confirmation

ricevere: to receive

la bomboniera: bomboniera (party favor)

questi/-e: these

i confetti: sugar coated almonds

le caramelle: candy

tradizionale (*pl.* tradizionali): traditional

forma ovale: oval shape

a seconda dell'occasione: according to the occasion

l'occasione: occasion

Orari di apertura

orari di apertura: opening times

apertura: opening

orario di chiusura: closing time

chiusura: closing

può variare: it could be different

da regione a regione: from region to region

tuttavia: however

i grandi magazzini: department store

i centri turistici: the tourist centre/center (*Am.*)

trovare: to find

di tutto: of all

creare dei problemi: to create some problems

Tempo libero

tempo libero: free, leisure time

organizzare: to organize

il picnic: picnic

il mare: sea

la montagna: mountain

la Pasquetta: Easter Monday

gli anziani: elderly people

punto d'incontro: meeting place

il corso: course

passeggiare: to go for a walk

il gelato: ice-cream

ovviamente(*avv.*): obviously

guardando (*inf.* guardare): looking at

UNITÀ 10 *Li vuole provare?*

li vuole provare?: Do you want to try them on?

provare q.c.: to try something on

la maglietta: T-shirt

la cintura: belt

l'orologio: clock, watch

il profumo: perfume
il cd: cd
il portafogli: wallet

A1

carina la giacca beige!: The beige jacket is cute!
il capo di abbigliamento: clothing item
il capo: (clothing) item
l'abbigliamento: clothing
che bello il maglione beige!: What a lovely beige sweater!
il maglione: sweater
per lui: for him
la lana: wool
la camicia (*pl.* le camicie): shirt
azzurro/-a: light blue
il cotone: cotton
la cravatta: tie
blu: blue
i pantaloni: pants
marrone: brown
la pelle: leather
per lei: for her
la gonna: skirt
nero/-a: black
bianco/-a (*pl.* -chi/-che): white
il foulard: scarf
la seta: silk
a quadri: checkered
la borsa: bag
lo stivale (*pl.* gli stivali): boot

A3

preferito/-a: favourite
il vestito: dress
viola: violet
grigio/-a (*pl.* -gi/-gie): grey
celeste: light blue
verde: green
rosa: pink
non mi piace proprio: I don't like it at all

A4

portare q.c.: to wear sth.
un paio di: a pair of
sportivo/-a: casual
la stoffa: fabric
in tinta unita: solid color
a righe: with stripes
a fiori: with a flowers pattern
elegante: elegant

A5

breve: short
il viaggio di lavoro: business trip
il completo gonna e giacca: (skirt and jacket) suit
il completo pantaloni: pant suit

l'abito: dress
il costume da bagno: bathing suit
le scarpe da ginnastica: running shoes, sneakers

Ascolto 2

un paio di jeans: a pair of jeans

Ascolto 3

nominare: to mention
fare spese: to go shopping

B1

che taglia porta?: What size do you wear?
la taglia: size
la vetrina: shop window
veramente non mi piace molto: I don't really like it that much
la 42: size 42
come vanno?: How do they fit?
non sono un po' stretti?: Aren't they a little tight?
stretto/-i: tight
il modello: model, style
dice? (*inf.* dire): Do you think so?
vanno bene proprio così: they are fine just like that
convinto/-a: convinced
eventualmente (*avv.*): (just) in case
cambiare: to change
non c'è problema: there are no problems
mi fa vedere anche...: can you also show me…
far vedere q.c. a qu.: to show sth. to s.o.
come no?: Certainly!

B3

il capo di vestiario: clothing item

B4

vorrei vedere...: I'd like to see…

B5

largo/-a: large
corto/-a: short

B6

dire: to tell
volere: to want

B7

lo: it/him (*m. sg.*)
la: it/her (*f. sg.*)
li: them (*m. pl.*)
le: them (*f. pl.*)
allungare: to lengthen
un pochino: a little bit
questa giacca mi sta bene: this jacket fits me well
un numero più piccolo: a smaller size
a mio marito: to my husband

C

fare shopping a Bologna: to go shopping in Bologna
lo shopping: shopping

C1

il paradiso: paradise
all'ombra delle Due Torri: in the shade of the two towers
l'ombra: shade, shadow
la torre: tower
in pochi metri: in a few metres
poco/-a (*pl.* -chi/-che): little, a few
la moda: fashion
le delikatessen: delicacies
gastronomico/-a (*pl.* -ci/-che): gastronomic
l'arredamento: furnishings
il punto di riferimento: reference point
la moda griffata: high fashion
la galleria: gallery
Camillo Cavour: famous historical figure
l'area dello shopping: shopping aerea
caratteristico/-a (*pl.* -ci/-che): characteristic
il mercato (del pesce): fish market
la bancarella: stall
la bottega storica: historical store
la salumeria: delicacy store
squisito/-a (*pl.* -i/-e): delicious
i salumi (*pl.*): cold cuts
emiliano/-a: from the region of Emilia Romagna
il prosciutto: ham
la mortadella: Italian cold cut
lì accanto: nearby
il panificio: bakery
la pasticceria: pastry-shop, patisserie
da 120 anni: for the last 120 years
sinonimo di: synonymous with
la pasta fresca: fresh pasta
il dolce: dessert
di gran qualità: of great quality
la qualità: quality
infine: in the end
l'enoteca: winery
l'acquisto (*pl.* gli acquisti): purchase
il liquore: the liquor
di pregio: a high quality product

C2

il negozio di frutta e verdura: produce store, grocery
l'arancia (*pl.* -ce): orange
la panetteria: bakery

la **pescheria**: fish market
la **macelleria**: butcher shop

D

a chi tocca?: Whose turn is it?

D1

tocca a me: it's my turn
mi dica!: (*here*) How may I help you?
un chilo di pomodori: a kilo of tomatoes
maturo/-a: ripe
da insalata: for salad
per piacere: please
l'uva (*sg.*): grapes
quanti/-e: how many
quanto/-a: how much
mezzo chilo: half a kilo
altro?: Anything else?
mi dia…: May I have…
l'etto: 100 grams
i porcini: porcini mushrooms
mi scusi: Excuse me, sorry
il mazzetto: a little bunch
il basilico: basil

D3

il peso: weight
la mela: apple
che differenza c'è…: What's the difference…

D5

la seppia: squid
eccezionale: exceptional, extraordinary
il pesce spada: swordfish
il pecorino: pecorino cheese
buonissimo/-a: very good, excellent
il radicchio: radicchio
freschissimo/-a: very fresh

D6

la lattina: the can
il pacco: packet
il vasetto: jar
la scatola: box
i pomodori pelati: canned peeled tomatoes

Ricapitoliamo!

le monete italiane: Italian coins
il castello: castle
la Puglia: Italian region
l'imperatore: emperor
Venere: Venus
il quadro: painting
la nascita: the birth
lo spazio: room, space
la continuità: continuity
la scultura: sculpture
la statua: statue

il ritratto: portrait
il poeta: poet
l'affresco: fresco

UNITÀ 11 Cosa fate in vacanza?

il bel tempo: beautiful weather
le città d'arte: artistic city
l'arte (*pl.* le arti): art
la vegetazione: vegetation
la cucina: cuisine
il sito archeologico: archaelogical site
archeologico/-a (*pl.* -ci/-che): archeological
la mentalità: mentality
la gente (*sg.*): people

A1

in vacanza mi rilasso…: on vacation I can relax
rilassarsi: to relax
il lago di Garda: Garda lake
le Alpi: the Alps

A2

il traduttore/la traduttrice: translator
mentre: while
divertirsi a fare q.c.: to have fun doing sth.
diverso/-a: different
non... niente: not... at all
niente di speciale: nothing special
speciale: special
svegliarsi: to wake up
fare colazione: to have breakfast
la pineta: the pinewood
godersi q.c.: to enjoy sth.
la natura: nature
non… mai: not.. ever
con me: with me
annoiarsi: to get bored
stare da solo/-a: to be alone
il/la libero/-a professionista: freelance
riposarsi: to rest
spericolato/-a: reckless
partire per: to leave for
movimentato/-a: crowded
il Trentino: Italian region
le Dolomiti: Dolomites
il paracadutismo: parachuting
la barca a vela: sail (saling) boat
la vacanza studio: summer courses
rilassante: relaxing
culturale: cultural

A3

attivo/-a: active

A4

trascorrere: to spend
ideale: ideal

A5

la segretaria: secretary
d'estate: in the summer
il campeggio: camping
la Costa Amalfitana: the Amalfi coast
generalmente (*avv.*): generally, usually
fare windsurf: to windsurf

A6

il questionario: questionnaire
che tipo di: what kind of
le vacanze di solo mare: vacation on the beach
il viaggio organizzato: organized trip
viaggi in paesi lontani: travelling in far away countries
lontano/-a: far
dove vi fermate?: Where do you stop?
fermarsi: to stop
il centro (di salute e benessere): health centre/center (*Am.*), Spa
la salute: health
il benessere: well-being
viaggiare: to travel
l'aereo: the plane
la macchina: car
la nave: ship
il camper: RV
a quali attività vi dedicate?: What activities do you do?
dedicarsi a: to devote oneself to something
fare escursioni a piedi: to do walking excursions
a piedi: on foot, walking
girare per negozi: to walk around the stores
prendere il sole: to sunbathe
il sole: sun
il museo: museum

B

l'informazione (*f.*): information

B1

la primavera: spring
l'estate (*f.*): summer
l'autunno: fall/ autumn
l'inverno: winter
gennaio: January
febbraio: February
marzo: March
aprile: April

That's Allegro

m<u>a</u>ggio: May
gi<u>u</u>gno: June
l<u>u</u>glio: July
agosto: August
settembre: September
ottobre: October
novembre: November
dicembre: December

B2

sentire: to listen to
la Festa di Sant'Anna: Saint Ann's celebration
il ventisei l<u>u</u>glio: on July 26
che cosa c'è da vedere?: what can you see there?
la festa si svolge al mare: the celebration is at sea
la sfilata: parade
la barca: boat
decorato/-a: decorated
il Cast<u>e</u>llo Aragon<u>e</u>se: the Aragonese Castle
il pr<u>e</u>mio: prize
i fu<u>o</u>chi d'artif<u>i</u>cio (*pl.*): fireworks
il collegamento: connection
il traghetto: ferry boat
l'aliscafo: hydrofoil
impiegare: to take
forse conviene (*inf.* convenire): maybe it is better
forse: maybe
rimanere: to stay
la pensione: hotel, pension
oggi è il venti l<u>u</u>glio: today is July 20th
il mezzo di trasporto: means of transport
raggiungere: to reach

B3

che giorno è oggi?: what is the date today?
il primo l<u>u</u>glio: July first
l'epifan<u>i</u>a: the Epiphany
la Festa dei Lavoratori: Labour Day
San Valent<u>i</u>no: Valentine's day
Ferragosto: holiday on August 15
la Festa della Donna: Woman's Day
San Silv<u>e</u>stro: New Year's Eve

B4

indicate (*inf.* indicare): indicate
la data: the date

B5

la Regata St<u>o</u>rica: Historical Regatta
la Regata: regatta
st<u>o</u>rico/-a: historical
la processione dei serpari: the Serpari's Procession
la processione: procession
Calendimaggio: Religious Holiday
la Festa dei Ceri: the Celebration of the Candles
Il cero: candle
Il P<u>a</u>lio di Siena: Famous Tournament held in the city of Siena

B6

chi<u>e</u>dere informazioni: to ask for information

C1

la possibilità: the possibility
vi prego di inviarmi...: could you please send me..
pregare qu. di fare q.c.: to beg someone to do something
inviare q.c. a qu.: to send something to someone
gratuitamente (*avv.*): for free
l'op<u>u</u>scolo: brochure
informativo/-a: informative
il maso: typical chalet
trentino/-a: from Trentino
l'indirizzo: address
per maggiori informazioni: for more information
il coupon: coupon
l'Azi<u>e</u>nda di Promozi<u>o</u>ne Tur<u>i</u>stica: Tourist Information Centre/center (*Am.*)
semplicemente (*avv.*): simply

C2

egr<u>e</u>gio/-a (*pl.* egregi/-e): Dear...
spett<u>a</u>bile: Dear...(to firm, office, etc.)

C3

s<u>e</u>mplice: simple
naturale: natural

C4

affettuosamente: with affection, with love
completamente: completely
esattamente: exactly
particolarmente: particularly
caro/-a: dear
in continuazione: continuously, over and over again
il senti<u>e</u>ro: path
r<u>i</u>pido/-a: steep
la p<u>a</u>usa: pause
e così via: and so forth
lo stesso: same
capire: to understand
pazzo/-a: crazy
il b<u>a</u>cio: kiss

D

c'è un sole stupendo: there is won-

derful sunshine
stupendo/-a: wonderful
pronto?: hello?

D1

Posit<u>a</u>no: small town in the Campania region
due giorni fa: two days ago
il tempo com'è?: what is the weather like?
fant<u>a</u>stico/-a: fantastic
fa proprio caldo: it's really hot
be<u>a</u>ti voi: lucky you!
fa brutto tempo: it's bad weather
piove (*inf.* pi<u>o</u>vere): it rains
da due giorni: for two days
pensare: to think
fra una settimana: in one week
qualche gita: some excursions
qualche (*sg.*): some
la gita: trip, excursion
l'<u>i</u>sola: the island
il Ves<u>u</u>vio: Vesuvius
bravi, bravi...: bravo, good
bravo/-a: bravo, good
ti passo la mamma: I'll let you talk with mom, I'll put mom on (*Am.*)

D2

c'è il sole: it's sunny
il vento: wind
la n<u>e</u>bbia: fog
nevicare: to snow
nuvoloso/-a: cloudy
fa freddo: it's cold

D5

Sorrento: small town in the Campania region
Capri: island off the coast of Naples
gli scavi (*pl.*) **di Pompei**: the ruins of Pompeii
l'escursione a Paestum: the excursion in Paestum
da quanto tempo è qui?: how long have you been here?

Ascolto 1

sapore di sale: salty taste
il sapore: taste

Ascolto 2

la c<u>o</u>ppia innamorata: the couple in love

Ascolto 3

il gusto: taste

Ricapitoliamo

il punto d'incontro: meeting point
l'itiner<u>a</u>rio: itinerary
il ritorno: return

conversazione: to keep the conversation alive

A1

piano, per favore!: slowly, please!

A2

ditelo con altre parole: say with different words

il posto: place

A3

in poche parole: in a few words

non fare niente di eccezionale: to do nothing special

ci siamo permessi di…: we took the liberty of…

permettersi: to take the liberty of…

ce l'ho fatta (*inf.* farcela): I did it

A4

improvvisate!: improvise!

B1

buon viaggio e buon divertimento: have a nice trip and have fun

Trento: Italian region

l'ufficio informazioni: information office

Trieste: Italian city

che tempo fa?: What's the weather like?

Verona: Italian city

la capitale: capital

Modena: Italian city

Parma: Italian city

nei dintorni di: in the surroundings of…

gli Appennini: the Appennines Mountains

il Parco Nazionale d'Abbruzzo: National Park of Abbruzzi

Termoli: Italian city

la grigliata mista: mix of grilled meats

il Gargano: area in the Puglia region

Matera: Italian city

i "sassi" di Matera: the "rocks" of Matera

la sagra: festival, fair

la zona: zone, area

i giochi (*sg.* il gioco): games

il villaggio turistico: tourist resort

Tropea: small town in Italy

il tradizionale mercato del pesce: traditional fish market

Cagliari: Italian city

il collegamento: connection

Campo dei fiori: square in Rome

il lago Trasimeno: Lake Trasimeno

con vista su: with a view on

Portofino: town in Liguria

Alba: Italian town

Il Piemonte: Piedmont region

il tartufo: truffle

Aosta: Aosta region

C

auguri… e buon proseguimento: best wishes and have a nice continuation

C4

il diario: diary

Italia & italiani

Acquisti

settimanale: weekly magazine

l'ipermercato: big supermarket

le cose di tutti i giorni: every day things

il negozio di alimentari: grocery store

la bottega: shop

un po' di tutto: a little bit of everything

mancano (*inf.* mancare): are missing

variare da: to change way

la salsamenteria: specialty store that sells cold cuts, cheese, etc.

la pizzicheria: specialty store that sells cold cuts, cheese, etc.

l'ortolano: produce store

la frutta: fruit

la verdura: vegetables

il formaggio: cheese

le specialità regionali: regional specialties

regionale/-i: regional

articoli per la casa: household items

risparmiare: to save

fare attenzione: to be careful

l'attenzione: attention

i cartelli: (store) signs

la scritta (*pl.* le scritte): writing

i saldi: sales

le offerte speciali: special offers

gli sconti: discounts

Gli italiani in vacanza

adatto/-a (*pl.* -i/-e): right

basta scegliere: it is only necessary to choose

le vacanze scolastiche: school holidays

la mèta (*pl.* le mète): destination

scoprire: to find out

modi: ways

andare all'estero: to go abroad/

overseas

cercare la pace: to look for some peace

la pace: peace

il contatto con la natura: contact with nature

riprendersi da…: to recover from…

lo stress cittadino: the city stress

il momento clou: highlight, key moment

le strade: streets

deserto/-a (*pl.* -i/-e): deserted

chiuso per ferie: closed for holidays

la feria (*pl.* le ferie): holiday

andare fuori città: to leave the city

in compagnia di: with, in the company of

successivo/-a (*pl.* -i/-e): following

ricominciare: to start again

tornare a vivere: to live again

Feste e sagre

feste a sfondo storico: historical celebrations

feste religiose: religious celebrations

festa del patrono: Patron Saint's celebration

il patrono/la patrona: Patron Saint

la manifestazione religiosa: religious celebration

la settimana santa: Holy Week

essere amante di: to love something

la sagra gastronomica: culinary fair

gustare: to taste

Transcriptions

Here you will find the transcriptions of some texts that are not included fully or in part in the corresponding unit.

The exercises and the texts of the listening activities (*Ascolto*) are not presented here because teachers can find these transcriptions in the *Guida per l'insegnante*.

Unità 4 Prendi un caffè?

C1 🎧 **Guardate e ascoltate.**
- ● Senta... scusi...
- ○ Volete ordinare?
- ● Sì, io vorrei un caffè e un'acqua minerale.
- ○ Gassata o naturale?
- ● Naturale.
- ○ Va bene.
- ▲ Per me un cappuccino e una pasta.
- △ Un cappuccino anche per me.
- ■ E per Lei?
- ☐ Mmm, per me un caffè, una minerale gassata e una pasta.
- ◆ Io invece prendo un succo di frutta alla pesca.

Unità 7 C'è una banca qui vicino?

D1 🎧 **Ascoltate.**
- ● Beh, allora a più tardi... Ci vediamo in trattoria. Tu, Luisa, vieni, no?
- ○ Sì, però aspetta, Marco. Io come faccio? Non so dov'è.
- ● Ah... beh, guarda, quando esci di qui giri subito a sinistra, vai avanti fino... no, aspetta, è un po' complicato. Ti faccio uno schizzo... allora, guarda, esci di qui, giri a sinistra e vai avanti.
- ○ Mmm...
- ● Poi attraversi l'incrocio e continui dritto fino alla libreria. Bene, poi giri a destra in via Doni...
- ○ Mmm...
- ● ... e vai sempre avanti fino al semaforo. Lì giri ancora a destra, dove comincia la zona pedonale.
- ○ Ah, sì.
- ● Ecco, dopo 50 metri circa arrivi in piazza San Fedele e vedi subito la chiesa.
- ○ Ah.
- ● E sulla destra, proprio accanto all'edicola, c'è la trattoria *La Tavernaccia*, non puoi sbagliare. È chiaro?
- ○ Sì, sì, con lo schizzo va bene, grazie.

Unità 8 Che cosa hai fatto ieri?

D1 🎧 **Ascoltate.**
Sono nato a Napoli nel 1935 e ho vissuto sempre qui. Ho finito le scuole nel 1955 e con il diploma di ragioniere ho subito trovato lavoro, alle Ferrovie dello Stato. Due anni dopo ho lasciato il posto alle Ferrovie e ho aperto una piccola ditta di acque minerali, insieme a mio fratello. I primi anni sono stati difficili ma poi gli affari sono andati meglio. Negli anni Ottanta abbiamo guadagnato veramente bene! Ma ho lavorato tantissimo – solo 10 giorni di vacanza all'anno! – e non ho avuto il tempo di farmi una famiglia. Insomma, sono single, come si dice adesso, ma vivo con mia sorella e ho molti nipoti che mi vogliono bene. Due anni fa ho chiuso la mia attività e sono andato in pensione. Ma a casa non so cosa fare e così lavoro in giardino o vado al negozio di mio nipote e aiuto un po'.

Rules of the games

Unità 3 Ripasso

C Il giro delle Marche

You play in groups of 2-4 persons. Every group needs a dice and every player a pawn (for ex. a coin).

The player throwing the dice and getting 1 will begin. Then each player will throw the dice and move clockwise on the different boxes and accomplishing the task requested in each one of them. Each player can stay in the conquered box if the group is satisfied with the way he/she accomplished the task, otherwise he/she has to go back to the previous box.

The first person to arrive at on number 14 by throwing the dice and getting the exact number of boxes to arrive there, wins. If the number obtained is not the right one, the student must go back one box.

Unità 6 Ripasso

C Ma quante domande!

Create a collection of questions on each of the topics proposed on the left of the game board and using the words presented on the right.

Important: the questions can also be a little fun and not completely realistic!

Two teams play, each with their own pawns/coins. The team that has to answer chooses the topic and places the pawn on the corresponding picture (for example: *lavoro*, *casa*, *ristorante*, etc.).

The team that creates the question places their pawn on one of the question words or on the question mark and then asks the question. If the other team answers correctly, they can in turn ask a question. The team that has to answer can, however, first move one of their pawns/coins changing therefore the topic or the type of question.

There are no points gained in this game, which will last about 15-20 minutes. Nevertheless, it will surely be a lot of fun!

Unità 9 Ripasso

A Un soggiorno a Lucca

You play in groups of 2-4 persons. Every group needs a dice and every player a pawn (for ex. a coin). Each player places the their pawn on the *Partenza* (*Start*) box and the game begins.

Taking turns, each player will throw the dice and advance clockwise on as many boxes as the dice indicates. After reading the task written on the box where he/she landed, the player will ask a partner to help him/her accomplish the task. Even if the person helping will not advance, he/she still has the opportunity to say something in Italian. Each player can stay in the conquered box if the group is satisfied with the way he/she acomplished the task, otherwise he/she has to go back to the previous box. For each task performed the player gains one point.

The game ends when one of the players arrives on the *Arrivo* (*End*) box by throwing the dice and getting the exact number of boxes needed to arrive there. If the number obtained is not the right one, the student must go back one box.

In this game it is not the player to arrive first that wins, but the player who obtains the highest score.

Unità 12 Ripasso

C Vacanze in Italia

You play in groups of 2-4 persons. Every group needs a dice and every player a pawn (for ex. a coin). Each player places their pawn on the *Partenza* (*Start*) box and the game begins.

Taking turns, each player will throw the dice and advance clockwise on as many boxes as the dice indicates. After reading the task written on the box where he/she landed, the player will ask the partner sitting to his left to help him/her accomplish the task. Even if the person helping will not advance, he/she still has the opportunity to say something in Italian.

Each player can stay in the conquered box if the group is satisfied with the way he/she acomplished the task, otherwise he/she has to go back to the previous box. For each task performed the player gains one point.

The game ends when one of the players arrives on the *Arrivo* (*End*) box by throwing the dice and getting the exact number of boxes needed to arrive there. If the number obtained is not the right one, the student must go back one box.

Resources and illustrations

p. 9: Azienda di Promozione Turistica dell'Umbria, p. Belli; p. 12: G. Robustelli, Napoli; p. 16: M. Rambaldi, Napoli; p. 19: Ferrovie dello Stato, Centro Audiovisivi, Roma; p. 20: M. Rambaldi, Napoli; p. 21: IAT Senigallia; p. 22: Hotel Ritz, Senigallia; p. 24: M. Rambaldi, Napoli; p. 26: R. Degli Innocenti, Pistoia; p. 29: Hotel Baia del Capitano, Cefalù; p. 30: APTR Ancona – IAT Urbino, Archivio (Urbino); Archivio Fotografico Servizio Turismo Regione Marche (Monastero di Fonte Avellana, Pesaro); pp. 31-33: M. Rambaldi, Napoli; pp. 35-36: M. Rambaldi, Napoli; p. 40: M. Rambaldi, Napoli; p. 43: Università Popolare di Roma; p. 44: M. Rambaldi, Napoli; p. 46: F. Bresciani, Pietrasanta; pp. 48-50: M. Rambaldi, Napoli; pp. 54-57: M. Rambaldi, Napoli; p. 61: Bell'Italia, n. 189, gennaio 2002 (Text), p. Cellai, Firenze (Foto); M. Rambaldi, Napoli; p. 68: Farabolafoto, Milano; p. 70: Musei Civici Veneziani, Servizio Marketing Immagine Promozione, Venezia; Edizioni Sellerio, Palermo p. 73: Azienda Turismo Padova Terme Euganee; pp. 76–77: APT Lucca; p. 79: G. Robustelli, Napoli; M. Rambaldi, Napoli; p. 80: Digital Vision; p. 82: Farabola Foto, Milano; p. 83: M. Rambaldi, Napoli; p. 85: Bell'Italia, n. 190, febbraio 2002 (Text); Meridiana Immagini, Bologna (Foto); p. 87: M. Rambaldi, Napoli; p. 90: Photodisc Farabola Foto, Milano p. 92: M. Rambaldi, Napoli; p. 93: Farabola Foto, Milano; p. 94: Gino Cadeggianini, Viola Film, APT Venezia; p. 95: Studio Silvano Foto, Mezzano; p. 103: Terme di Saturnia Spa & Golf, Saturnia; Farabola Foto, Milano.

p. 2: Cartografia del Touring Club Italiano autorizzazione del 18 settembre 2003.

edizioni Edilingua

Nuovo Progetto italiano 1 T. Marin - S. Magnelli
Corso multimediale di lingua e civiltà italiana.
Livello elementare

Nuovo Progetto italiano 2 T. Marin - S. Magnelli
Corso multimediale di lingua e civiltà italiana.
Livello intermedio

Progetto italiano 3 T. Marin - S. Magnelli
Corso di lingua e civiltà italiana.
Livello medio - avanzato

Allegro 1 L. Toffolo - N. Nuti
Corso multimediale d'italiano. Livello elementare

That's Allegro 1 L. Toffolo - N. Nuti
An Italian course for English speakers.
Elementary level

Allegro 1 A. Mandelli - N. Nuti
Esercizi supplementari e test di autocontrollo.
Livello elementare

Allegro 2 L. Toffolo - M. G. Tommasini
Corso multimediale d'italiano.
Livello preintermedio

Allegro 3 L. Toffolo - R. Merklinghaus
Corso multimediale d'italiano. Livello intermedio

La Prova orale 1 T. Marin
Manuale di conversazione. Livello elementare

La Prova orale 2 T. Marin
Manuale di conversazione.
Livello medio - avanzato

Video italiano 1 A. Cepollaro
Videocorso italiano per stranieri.
Livello elementare - preintermedio

Video italiano 2 A. Cepollaro
Videocorso italiano per stranieri. Livello medio

Video italiano 3 A. Cepollaro
Videocorso italiano per stranieri.
Livello superiore

Vocabolario Visuale T. Marin
Livello elementare - preintermedio

Vocabolario Visuale - Quaderno degli esercizi T. Marin
Attività sul lessico.
Livello elementare - preintermedio

Al circo! B. Beutelspacher
Italiano per bambini. Livello elementare

Sapore d'Italia M. Zurula
Antologia di testi. Livello medio

Scriviamo! A. Moni
Attività per lo sviluppo dell'abilità di scrittura.
Livello elementare - intermedio

Diploma di lingua italiana
A. Moni - M. A. Rapacciuolo
Preparazione alle prove d'esame

Primo Ascolto T. Marin
Materiale per lo sviluppo della comprensione
orale. Livello elementare

Ascolto Medio T. Marin
Materiale per lo sviluppo della comprensione
orale. Livello medio

Ascolto Avanzato T. Marin
Materiale per lo sviluppo della comprensione
orale. Livello superiore

l'Intermedio in tasca T. Marin
Antologia di testi. Livello preintermedio

Una grammatica italiana per tutti 1
A. Latino M. Muscolino
Livello elementare

Una grammatica italiana per tutti 2
A. Latino M. Muscolino
Livello intermedio

Raccontare il Novecento
P. Brogini - A. Filippone - A. Muzzi
Percorsi didattici nella letteratura italiana.
Livello intermedio - avanzato

Le tendenze innovative del Quadro Comune Europeo di Riferimento per le Lingue e del Portfolio
(a cura di Elisabetta Jafrancesco, ILSA)

Insegnamento e apprendimento dell'italiano L2 in età adulta
(a cura di Lucia Maddii, IRRE Toscana)

L'acquisizione dell'italiano L2 da parte di immigrati adulti
(a cura di Elisabetta Jafrancesco, ILSA)

La valutazione delle competenze linguistico-comunicative in italiano L2
(a cura di Elisabetta Jafrancesco, ILSA)

italiano a stranieri (ILSA) - Rivista quadrimestrale per l'insegnamento dell'italiano come lingua straniera/seconda

Invito a teatro L. Alessio - A. Sgaglione
Testi teatrali per l'insegnamento dell'italiano a stranieri. Livello intermedio - avanzato